DIE KÜNSTLERGRUPPE BRÜCKE

FELICITAS TOBIEN

Die Künstlergruppe Brücke

ARTBOOK INTERNATIONAL

© 1987 by Berghaus Verlag — D 8347 Kirchdorf-Inn
Printed in Germany — Imprimé en Allemagne
ISBN 3-7635-0108-8

INHALT

„. . . Es ist unmöglich, die letzten Werke dieser Wilden aus einer formalen Entwicklung und Umdeutung des Impressionismus heraus erklären zu wollen. Die schönsten prismatischen Farben und der berühmte Kubismus sind als Ziel dieser Wilden bedeutungslos geworden. Ihr Denken hat ein anderes Ziel: durch ihre Arbeit, ihrer Zeit Symbole zu schaffen, die auf die Altäre der kommenden geistigen Religionen gehören und hinter denen der technische Erzeuger verschwindet." (Franz Marc)

Als die vier befreundeten Architekturstudenten Fritz Bleyl, Erich Heckel, Ernst Ludwig Kirchner und Karl Schmidt-Rottluff beschlossen, sich künftig der Malerei zu widmen, war es beinahe selbstverständlich, daß sie, deren Interessen und Vorstellungen so gleich geartet waren, dies gemeinsam tun würden.

Bleyl und Kirchner hatten sich 1902 an der Technischen Hochschule in Dresden kennengelernt, Heckel und Schmidt-Rottluff waren sich bereits im Jahre 1901 als Gymnasiasten in Chemnitz begegnet. Daß auch sie später nach Dresden übersiedelten und sich an der dortigen Hochschule immatrikulieren ließen, muß wohl als eine Fügung des Schicksals angesehen werden, denn es dauerte nicht lange, bis sich ihre Wege mit denen von Kirchner und Bleyl kreuzten und ihrer aller Freundschaft besiegelt war.

Meist traf man sich bei Kirchner, um „den Akt, die Grundlage aller bildenden Kunst, in freier Natürlichkeit zu studieren. Aus dem Zeichnen auf dieser Grundlage", so berichtete Kirchner, „ergab sich das allen gemeinsame Gefühl, aus dem Leben die Anregung zum Schaffen zu nehmen und sich dem Erlebnis unterzuordnen. In einem Buch 'odi profanum' zeichneten und schrieben die einzelnen nebeneinander ihre Ideen nieder und verglichen dadurch ihre Eigenart. So wuchsen sie ganz von selbst zu einer Gruppe zusammen, die den Namen 'Brücke' erhielt. Einer regte den anderen an…"

Zudem war es zweifellos sinnvoller, sich vereint an die Öffentlichkeit zu wagen, denn als Autodidakten, die sie ja waren, ohne Berufserfahrung und dementsprechend ohne jegliche Referenzen, hätte jeder für sich schwerlich eine Chance gehabt, in absehbarer Zeit die Kunstszene zu erobern. „…Als junge, noch unbekannte Künstler in die Dresdner offiziellen Ausstellungen bzw. die Kunstsalons von Arnold und Richter zu gelangen, wäre zunächst unter der damaligen Ausstellungspolitik unter Führung des bedeutenden impressionistischen Akademieprofessors Gotthard Kühl ziemlich aussichtslos gewesen…", äußerte Fritz Bleyl rückblickend und erklärte ferner, diese Überlegung sowie das Verlangen, mit Werken an die Öffentlichkeit zu treten, habe dazu geführt, daß der Plan, sich „zu einer Künstlervereinigung zusammenzutun und unter einem bestimmten, schlagenden Namen die nötigen Schritte zu unternehmen", aufgeworfen worden sei. Den Namen „Brücke" — so glaubte er sich richtig zu erinnern — habe Schmidt-Rottluff erfunden. Und Erich Heckel, der das bestätigte, wußte ergänzend zu berichten: „Schmidt-Rottluff sagte, … das sei ein vielschichtiges Wort, würde kein Programm bedeuten, aber gewissermaßen von einem Ufer zum anderen führen. Wovon wir weg mußten, war uns klar — wohin wir kommen würden, stand allerdings weniger fest."

Die Gründung der „Brücke" fiel in das Jahr 1905. Gemäß der Absicht, „alle revolutionären und gärenden Elemente an sich zu ziehen", sah man sich alsbald nach Mitstreitern und Förderern um. Daß Tradition und Akademismus überwunden werden sollten, lag auf der Hand, und die vier Gründungsmitglieder brachten dafür denkbar günstige Voraussetzungen mit, denn bis dahin hatten auch sie sich völlig frei und fern von allem Konformismus entwickeln können. Kirchner war der einzige, der zwei Semester lang eine Kunstschule besucht hatte, eine zu kurze Zeit freilich, als daß sie im Rahmen seiner künstlerischen Entwicklung nachhaltig hätte ins Gewicht fallen können.

Wenngleich die „Brücke" kein festumrissenes Programm mit detaillierten Angaben besaß, so gibt doch jener Aufruf, der 1906 von Kirchner verfaßt und in Holz geschnitten wurde, Aufschluß über das, was die Künstler bezweckten: „Mit dem Glauben an Entwicklung, an eine neue Generation der Schaffenden wie der Genießenden", heißt es da, „rufen wir alle Jugend zusammen, und als Jugend, die die Zukunft trägt, wollen wir uns Arm- und Lebensfreiheit verschaffen gegenüber den wohlangesessenen älteren Kräften. Jeder gehört zu uns, der unmittelbar und unverfälscht das wiedergibt, was ihn zum Schaffen drängt."

Eine ideologisch interessante, vom rein künstlerischen Standpunkt her allerdings wenig ergiebige Aussage.

Die Idee, auch passive Mitglieder in den Kreis der „Brücke" aufzunehmen, erwies sich indes als besonders glücklich: zum einen, weil auf diese Weise ein verhältnismäßig breites Publikum angesprochen werden konnte, zum anderen, weil natürlich die Einnahmen, die durch diese passiven Mitglieder in die Kasse der Künstlervereinigung flossen, eine gewisse Grundlage für die Arbeit der aktiven Mitglieder bildeten. Der Jahresbeitrag betrug 1906 zunächst 12,- Mark, später 25,- Mark. Jedes der passiven Mitglieder — 1910 zählte man immerhin bereits achtundsechzig — erhielt dafür jährlich eine Mappe mit drei bis vier Originalgraphiken der Künstler und wurde durch „Jahresberichte" und sonstige Mitteilungen über den jeweils neuesten Stand der Dinge auf dem laufenden gehalten.

„Die Überzeugung, daß es für das, was wir malten, zeichneten und druckten, Freunde gäbe, wenn man sie nur fände, um sie daran teilnehmen zu lassen, und auch der Wunsch nach einer finanziellen Beihilfe für unsere Pläne waren der Anlaß, passive Mitglieder zu werben. Die ersten Mappen druckten wir in einer Auflage von kaum mehr als zwanzig Exemplaren, ab 1910 wurden es mehr, der steigenden Zahl von passiven Mitgliedern entsprechend...", erläuterte Erich Heckel, der von Anfang an als Geschäftsführer fungierte.

So passiv eine solche Mitgliedschaft von Rechts wegen war, so aktiv zeigten sich jedoch einige dieser „Passiven", wenn es galt, der „Brücke" weitere Freunde hinzuzugewinnen. Die namhaftesten waren u. a. Professor Hans Fehr, der Schriftsteller Köhler-Hausen sowie Gustav Schiefler — er verfaßte später die Oeuvre-Kataloge der Graphik Kirchners und Noldes — und Rosa Schapire, die den Oeuvre-Katalog der Graphik Schmidt-Rottluffs zusammenstellte.

Ein ehemaliger Schusterladen in der Berliner Straße in Dresden-Friedrichstadt — von Heckel für monatlich zehn Mark gemietet — wurde von den jungen Malern in ein Atelier umgewandelt und nach ihren Vorstellungen eingerichtet. Bunt bemalte Kisten dienten als Mobiliar, selbstbedruckte Batiken zierten die Wände. Der ganze Raum trug eine bohèmehafte Note und war gleichsam ein Zeichen für das, was seine Bewohner auch mit ihrer Kunst beabsichtigten: die Abkehr vom Herkömmlichen.

Während der Dresdner Jahre herrschte eine Eintracht unter den Gründern der „Brücke", wie sie gewiß auch damals in Künstlerkreisen nicht alltäglich war. Was immer man tat, man tat es gemeinsam, und das wiederum beflügelte einen jeden, war hilfreich und nützlich zugleich, denn praktische Erfahrungen ließen sich im Kollektiv leichter und schneller sammeln, gegenseitige Kritik spornte zu noch größeren Leistungen an, und der Austausch von Gedanken brachte stets neue Anregungen mit sich. Daß außer Gedanken auch Arbeitsmaterial und Modelle ausgetauscht wurden, versteht sich von selbst.

„Es war ein glücklicher Zufall", notierte Kirchner in seinem Tagebuch, „daß sich die wirklichen Talente trafen, deren Charakter und Begabung auch in menschlicher Beziehung ihnen gar keine andere Wahl ließ als den Beruf des Künstlers, deren für den regulären Menschen zum mindesten seltsame Lebensführung, Wohnung und Arbeit kein bewußtes Epater les Bourgeois war, sondern das ganz naive reine Müssen, Kunst und Leben in Harmonie zu bringen. Und gerade dieses ist es, was mehr als alles andere einen ungeheuren Einfluß gehabt hat auf die Formen heutiger Kunst. Allerdings meist unverstanden und total verzerrt, denn dort bildete (der Wille) die Form und gab ihr Sinn, während hier die fremde Form auf Gewohnheit aufgepfropft wird, wie der Kuh der Zylinder. Der Weg der Entwicklung in diesen Dingen des äußeren Lebens, von der ersten applizierten Decke im ersten Dresdner Atelierzimmer bis zum vollendeten harmonischen Raum in den Berliner Ateliers der einzelnen, ist eine ununterbrochene logische Steigerung, die Hand in Hand ging mit der malerischen Entwicklung der Bilder und Grafik und Plastik. Die erste Schale, die geschnitzt wurde, weil man keine einem gefallende zu kaufen bekam, brachte die plastische Form in die flächige Form des Bildes, und so wurde die persönliche Form durch die verschiedenen Techniken durchgeknetet bis zum letzten Strich. Die Liebe, die der Maler dem Mädchen entgegenbrachte, das sein Gefährte und Helfer war, ging über auf die geschnitzte Figur, veredelte sich (über) die Umgebung (in) das Bild und vermittelte wiederum die besondere Stuhl- oder Tischform aus der Lebensgewohnheit des menschlichen Vorbildes. Das war der Weg des Kunstschaffens am einfachen Beispiel. Das ist die Kunstanschauung der 'Brücke'. Diese restlose Hingabe", fügte er hinzu, „leuchtete im Auge Erich Heckels, als er zum ersten Mal zu mir Aktzeichnen kam und die Treppe emporstieg, laut aus Zarathustra deklamierend, und (einige) Monate (später) sah ich dasselbe Leuchten in den Augen S-R's, als dieser zu uns kam, Befreiung suchte so wie ich in freier Arbeit, und das erste für die Maler war das freie Zeichnen nach dem freien Menschen in freier Natürlichkeit... Es wurde gezeichnet und gemalt. 100e von Blättern am Tage, dazwischen Rede und Spiel, die Maler wurden mit zu Modellen und umgekehrt. Alle Begegnungen des täglichen Lebens wurden so dem Gedächtnis einverleibt. Das Atelier wurde eine Heimstatt den Menschen, die gezeichnet wurden: Sie lernten von den Malern, die Maler von ihnen. Unmittelbar und reichhaltig nahmen die Bilder das Leben auf."

Man arbeitete wie besessen, beflügelt von dem Wunsch, seine Ideen verwirklicht zu sehen und an dem Ergebnis seiner Bemühungen zu wachsen. So konnte es durchaus vorkommen, daß sich die Künstler nicht einmal die Zeit nahmen, eine neue Leinwand aufzuspannen, wenn ein Bild fertiggestellt war, sondern sogleich auf der Rückseite der alten Leinwand weitermalten. Auf Individualität legten sie noch keinen Wert, und daß manche ihrer Werke aus dieser ersten Periode kaum voneinander zu unterscheiden waren, scheint sie zunächst nicht weiter berührt zu haben. Erst später störte es sie. Während Kirchner die frühesten Produkte seines künstlerischen Schaffens dann leichthin als „Jugendeseleien" abtat, zögerte Schmidt-Rottluff nicht, seine frühen Arbeiten fast ausnahmslos zu vernichten. Auch Heckel ließ wenig übrig von dem, was er damals spontan und begeistert geschaffen hatte, und dabei war gerade diese Anfangsphase für jeden von ihnen im Hinblick auf das Weitere wichtig gewesen.

„Kühn malen die Brückeleute nun karminrote Mauern, zinnoberrote Bäume, ultramarinblaue Wege, resedagrüne Himmel; sie teilen Gesichter in Hälften von Chromgelb und Kobaltblau, malen messinggelbe Akte auf chromoxydgrünen Fußböden gegen ein Stück krapplackroten Türpfosten. Sie malen mit reinem Zinnober, wie er aus der Tube kommt. Sie nutzen die Spannung zwischen Karmin und Chromgelb, zwischen Kadmiumorange und Zitronengelb, zwischen Chromoxydgrün und Zinnober und die Stufungen von ungebrochenem Kobalt zu ungebrochenem Ultramarinblau, von Kadmiumgrün zu Violett… Der Umgang mit Farben bedeutet für sie Erlösung und Befreiung. Die Probleme von Raum, Proportion, Perspektive werden negiert. Uninteressiert an der Nachbildung der Natur, an Differenzierung der Valeurs, an Wiedergabe harmonischer Klangfülle und sorgfältiger Stufung, fein gestimmter Orchestrierung der Töne, ordnen sie ihre Einzelformen dem Ganzen unter; sie summieren nicht einzelne Details in sorgfältigem Aufbau zum kompositionellen Ganzen, sondern versuchen, sofort aufs Ganze zielend, die Einzelformen der Komposition gefügig zu machen…" (Lothar-Günther Buchheim)

Das harmonische Zusammenwirken von Leben und Kunst war das Ziel ihrer Arbeit, sinnliches Empfinden ein entscheidendes Ausdrucksmittel.

Nicht ohne Grund hatten sie sich in einem Arbeiterviertel niedergelassen. Hier — so glaubten sie — waren sie der Natürlichkeit und Unverfälschtheit am nächsten.

Schon der Name „Brücke" ließ keinen Zweifel daran, daß deren Gründer nicht isoliert von der übrigen Welt einhergehen, sondern Kontakte zu Gleichgesinnten knüpfen und pflegen wollten. Ihr knapp gefaßtes Manifest bestätigte dies: „. . . Jeder gehört zu uns, der unmittelbar und unverfälscht das wiedergibt, was ihn zum Schaffen drängt." Nun galt es also, eine Brücke zu jenen zu schlagen, die diese Voraussetzungen erfüllten.

Als aktive Mitglieder wurden 1906 zunächst zwei Ausländer gewonnen: der Schweizer Cuno Amiet und der Finne Axel Gallén-Kallela. Beide blieben allerdings nur kurze Zeit bei der „Brücke", doch beteiligten sie sich zumindest an deren ersten Ausstellungen und bekundeten somit ihre Zugehörigkeit.

Für Emil Nolde, der im gleichen Jahr beitrat, bedeutete die Künstlervereinigung ebenfalls nur eine Art Durchgangsstation. Er, der geborene Einzelgänger, konnte an dem gemeinschaftlichen Schaffen des „Brücke"-Kreises auf die Dauer keinerlei Gefallen finden. Im Gegenteil, schon bald ging ihm „die sich entwickelnde Gleichmäßigkeit der jungen Künstler, die oft in ihren Werken zum Raten ähnlich waren", auf die Nerven. Nach gut einem Jahr schied er bereits wieder aus der Vereinigung aus. Dabei hatten sich die Maler, nachdem sie in der Dresdner Galerie Arnold erstmals Bilder von ihm gesehen hatten, gerade von Noldes Mitgliedschaft sehr viel versprochen.

Im Auftrag der Gruppe hatte Schmidt-Rottluff am 4. Februar 1906 ein Schreiben an ihn gerichtet, in dem er ohne Umschweife auf den Kernpunkt der Sache zu sprechen kam: „Daß ich gleich mit der Sprache herausrücke — die hiesige Künstlergruppe 'Brücke' würde es sich zur Ehre anrechnen, Sie als Mitglied begrüßen zu können. Freilich — Sie werden ebensowenig von der Brücke wissen, als wir vor Ihrer Ausstellung bei Arnold von Ihnen wußten. Nun, eine von den Bestrebungen der Brücke ist, alle revolutionären und gärenden Elemente an sich zu ziehen — das besagt der Name Brücke. Die Brücke besorgt außerdem jährlich mehrere Ausstellungen, die sie in Deutschland tournieren läßt, so daß damit der einzelne der Geschäfte enthoben wird. Ein weiteres Ziel ist die Schaffung eines eigenen Ausstellungsraumes — vorläufig Ideal, denn es fehlt noch das Geld. — Nun, geehrter Herr Nolde, denken Sie, wie und was Sie wollen, wir haben Ihnen hiermit den Zoll für Ihre Farbenstürme entrichten wollen. Ergebenst und huldigend die Künstlergruppe Brücke i. A. Karl Schmidt."

In späteren Jahren bereute Nolde, daß er sich seinerzeit überhaupt zum Beitritt hatte verleiten lassen und bezeichnete diesen im nachhinein als eine „Torheit." Ungeachtet dessen aber kann eines nicht geleugnet werden: beide Seiten haben voneinander profitiert. Während Nolde die Holzschnitt-Technik der anderen „Brücke"-Mitglieder kennenlernte, verdankten diese wiederum ihm die interessante Technik seiner Radierungen. „Deren neuartige Besonderheit lag darin, daß die einzelnen Partien der Platte mehr oder weniger beim Ätzen abgedeckt waren, so daß sich nuancenreiche, flächige Helldunkelwirkungen erzielen ließen." (Wolf—Dieter Dube)

Aber auch nach seinem Austritt blieb Nolde den „Brücke"-Kollegen — wie er es ausdrückte — in seiner „Gesinnung...zugetan."

Länger als Nolde, Amiet und Gallén-Kallela hielt es hingegen Max Pechstein bei der Künstlervereinigung. Zurückzuführen war seine Mitgliedschaft auf eine zufällige Begegnung mit Erich Heckel im Jahre 1906. Pechstein berichtete: „Für den sächsischen Pavillon der dritten deutschen Kunstgewerbe-Ausstellung sollte ich im Auftrag der Architekten Lossow und Max Hans Kühne ein Deckenbild und ein Altarbild malen, wie auch einige kleinere Deckenbilder für Professor Wilhelm Kreis. In dem großen Deckenbild variierte ich meine Tulpen. Doch als ich vor der Eröffnung hinging, sah ich mit Entsetzen, daß man das brennende Rot durch graue Spritzer gedämpft, ernüchtert, dem Normalgeschmack angepaßt hatte. Das Gerüst war verschwunden; ohnmächtig stand ich unten und konnte nicht mehr zu meiner Arbeit in die Höhe gelangen. Wütend machte ich meinem Herzen Luft. Plötzlich stand jemand neben mir, der mir im Schimpfen sekundierte. Es war Erich Heckel, damals noch bei Kreis beschäftigt. Beglückt entdeckten wir einen restlosen Gleichklang im Drang nach Befreiung, nach einer vorwärts stürmenden, nicht durch Konvention gehemmten Kunst. So stieß ich zur Vereinigung der Brücke." Erst 1912 kehrte er dieser dann den Rücken, da er nicht bereit war, dem Willen der anderen zu entsprechen, die beschlossen hatten, nur noch gemeinsam in der „Berliner Sezession" auszustellen.

Dazwischen aber lagen Jahre, in denen ihm die Arbeit inmitten der Gemeinschaft Freude und auch persönlichen Gewinn für sein Schaffen gebracht hatte. Im Gegensatz zu Emil Nolde, der glaubte, seine künstlerischen Ziele nur im Alleingang verfolgen zu können, fühlte sich Pechstein gerade durch die Gruppenarbeit inspiriert. So wurde die „Brücke" für ihn gewissermaßen ein Steigbügel zum Erfolg, während die Kameraden ihrerseits seinem fundierten Fachwissen und seiner reichen Erfahrung manche Einsicht verdankten.

Pechsteins Werke waren leichter verständlich als die seiner Kollegen, ein Vorteil, der dazu führte, daß er als erster zu Ansehen gelangte, d. h. man sah sogar lange Zeit in ihm den alleinigen Repräsentanten des deutschen Expressionismus: „. . . sein unbeschwertes Temperament, die handwerkliche Schulung, seine farbig kraftvolle, jedoch ein wenig konziliantere und für das Auge nicht ungefällige Malweise, eine gewisse Eleganz in der Linienführung, die Bevorzugung warmer und leuchtender Töne — das alles hob sich damals für den unbefangenen Betrachter angenehm von der ungestümen Rauheit und den Farbstürmen der anderen 'Brücke'-Maler ab. . ." (Paul Vogt)

Neben dem Bestreben, aktive und passive Mitglieder zu gewinnen, war der Wunsch, öffentlich auszustellen, eines der wichtigsten Anliegen der „Brücke"-Gründer, und wo ein Wunsch ist, ist bekanntlich auch ein Weg. Diesen zu finden war zwar in einer Stadt wie Dresden nicht leicht, aber dank der organisatorischen Fähigkeiten Erich Heckels gelang es dann doch verhältnismäßig rasch. Heckel, der seinen Lebensunterhalt anfangs noch in dem Entwurfsbüro des Architekten Wilhelm Kreis verdiente, nutzte die mit dieser Tätigkeit verbundenen Beziehungen und überredete einen Fabrikanten von Beleuchtungskörpern, seinen neuen Ausstellungsraum für Deckenbeleuchtungen in Dresden-Löbtau mit einer Ausstellung der „Brücke" zu eröffnen.

„Die Leuchter und Ampeln hingen von der Decke herab", schilderte Fritz Bleyl später in seinen 'Erinnerungen' die örtlichen Gegebenheiten, die man im Herbst 1906 im Musterraum der Glasleuchterfabrik Seifert vorgefunden hatte: „Polstersessel standen vor den stoffbezogenen Wänden. Diese Wände selbst aber waren kahl. Es lag also nahe, zur Eröffnung an den Wänden dieser Lampenräume Arbeiten der Brücke aufzuhängen. Heckel wußte den Fabrikanten für seine Pläne zu gewinnen, und man machte sich daran, eine Art Vitrine zu bauen, um auch in dem freien Mittelraum unter den Leuchterkronen Graphik zeigen zu können. Für das Plakat zu dieser Ausstellung veranstalteten wir einen Wettbewerb, den ich gewann", schrieb Bleyl weiter, mußte jedoch eingestehen, daß sein Entwurf, „der in langer, schmaler Form, einem japanischen Kakemono ähnlich, in zitronengelbem Ton auf Weiß, eine aus dunklem Grund heraustretende nackte weibliche, in Holzschnittweise dargestellte Gestalt zeigte", nie ausgeführt wurde. „Er fand, als er der Polizeiverwaltung vorgelegt wurde, prüde Ablehnung und nicht die Genehmigung zum öffentlichen Aushang. Da ich damals gerade nicht mehr in Dresden weilte",

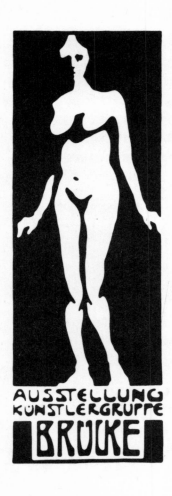

fuhr er fort, ,,fertigte Kirchner dann ein anderes Plakat . . . Die erste Brücke-Ausstellung kam so durch das Entgegenkommen des Fabrikanten auf recht ungewöhnliche und originelle Weise zustande und erregte auch in der Öffentlichkeit, wenn auch kein übermäßiges, so doch ein erstmaliges Aufsehen, und Besprechungen erschienen in der Dresdner Tagespresse. Sie waren allerdings nicht eben zustimmend, sondern enthielten billige Vergleiche mit gärendem Most. . .'' Zumindest aber war man im Gespräch, was ja für aufstrebende junge Talente nicht selten ein erster Schritt zum Erfolg sein kann. So gab es eigentlich keinen Grund zur Klage, und letztlich erschien in den ,,Dresdner Neuesten Nachrichten'' sogar eine positive Kritik, von dem 26-jährigen Redakteur Paul Fechter verfaßt, der auf diese Weise allen konservativen Gegnern der ,,Brücke'' mutig die Stirn bot.

Auch ließ die nächste Ausstellung, die diesmal der Graphik gewidmet war, nicht lange auf sich warten. ,,Die Künstlergruppe 'Brücke' eröffnet am 3. Dezember 06 in den Ausstellungsräumen ihres passiven Mitglieds K. M. Seifert, Dresden-Löbtau, Gröbelstraße, ihre erste Holzschnittausstellung, bei der außer den Mitgliedern (Cuno Amiet, Fritz Bleyl, E. Heckel, E. Kirchner, M. Pechstein, K . Schmidt-Rottluff) noch folgende Künstler vertreten sind: G. Hentze — Kopenhagen, W. Kandinsky — Paris, W. Laage — Cuxhaven, H. Neumann — München'', heißt es in einer Zeitungsnotiz von 1906.

Kandinsky, der an dieser Ausstellung teilgenommen hat, stand später der „Brücke" mit Vorbehalten gegenüber. Während Marc, als er gegen Ende 1911 bei einem Aufenthalt in Berlin die Kunst der „Brücke" kennenlernte, sofort von dem „ungeheuren quellenden Reichtum, der zu unsern Ideen nicht weniger gehört als die Idee der Stillen im Lande" begeistert war, verhielt sich Kandinsky zurückhaltender: „Ausstellen muß man solche Sachen. Sie aber im Dokument unserer heutigen Kunst . . . zu verewigen, als einigermaßen entscheidende, dirigierende Kraft, — ist in meinen Augen nicht richtig . . .", fand er. Zwar erklärte er sich dann damit einverstanden, daß Heckel, Kirchner, Mueller und Pechstein 1912 an der 2. Ausstellung des „Blauen Reiters" teilnahmen und ließ sich sogar von Marc dazu überreden, einige Arbeiten der Kollegen im Almanach zu veröffentlichen, doch machte er zur Bedingung, daß es sich dabei ausschließlich um kleinformatige Reproduktionen handeln dürfe, denn seine Devise lautete: „. . . Die kleine Reproduktion heißt: a u c h das wird gemacht. Die große: das wird gemacht."

Von den Künstlern, die neben den offiziellen Mitgliedern seinerzeit bei der ersten Graphik—Ausstellung der „Brücke" vertreten waren, verdient der in Stellingen bei Hamburg geborene Wilhelm Laage (1868 - 1930) besondere Beachtung. Laage gilt nicht nur als einer der führenden Vorläufer des deutschen Expressionismus schlechthin, sondern vor allem als „Erneuerer des Holzschnitts in Deutschland", und es ist nicht auszuschließen, daß seine frühen Erkenntnisse den jüngeren „Brücke"—Malern bis zu einem gewissen Grade als Wegweiser gedient haben. „Fast ein Jahrzehnt vor den Künstlern, die sich 1905 in Dresden zu der Gemeinschaft 'Brücke' zusammenschlossen. . . und vor Emil Nolde, der erst 1906 seine ersten Holzstöcke schneidet, erleben wir bei Laage das Wetterleuchten des Aufbruchs. Aus einer naturhaft ursprünglichen Formkraft heraus legt er in den Jahren vor der Jahrhundertwende Fundamente, mit denen er ganz am Anfang dieser Entwicklung steht und auf denen die Späteren weiterbauen werden. Die Offenbarung neuer Elemente weist weit in die Zukunft . . . Schon seine Arbeiten der Jahre 1896, 1897 und 1898 zeigen eine Gleichzeitigkeit und einen Rang neben Munch, die uns erstaunen machen und die nur mit den Vorgängen tieferer Wirklichkeiten der Kunst, wie sie außerhalb des Zeitlichen und Sichtbaren liegen, zu erklären sind. Hier wie dort bedeutet das Graphische die Niederschrift einer inneren Natur, die im Geistigen der Voraussetzungen und der Erlebniswelt in hohem Grade verwandt ist . . . Das besondere Interesse der Brücke-Künstler an einer Einladung und Teilnahme Laages, welches ja Gründe gehabt haben muß, erklärt sich aus der Erkenntnis der Bedeutung der Laageschen Holzschnitte für die von ihnen selbst erstrebten Vorstellungen und Ziele . . ." (Alfred Hagenlocher)

Während für die Graphik—Ausstellung wiederum der Lampenfabrikant seinen Musterraum zur Verfügung gestellt hatte, waren die „Brücke"—Maler — unter ihnen inzwischen Amiet, Gallén—Kallela, Nolde und Pechstein sowie der Hamburger Franz Nölken, der wenig später für kurze Zeit Mitglied wurde — bei der dritten Dresdner Ausstellung im September 1907 bereits in der glücklichen Lage, ihre Bilder in einer renommierten Galerie, dem Kunstsalon Richter, zeigen zu können. Das allerdings löste bei Publikum und Presse einen Sturm der Entrüstung aus. Es kam zum Skandal, und die „Brücke" war mit einem Schlag in aller Munde, wenn auch vorwiegend im negativen Sinne. Schonungslos ging man mit den Malern ins Gericht. Wie seinerzeit die Impressionisten, betrachtete man nun sie als Geisteskranke, hielt sie für unzurechnungsfähig und mokierte sich über ihre vermeintlichen „Stümpereien".

Doch nicht einmal das konnte ihren Glauben an die eigenen Fähigkeiten erschüttern und unter den Betroffenen Zweifel an der Richtigkeit und Bedeutung ihrer Bemühungen aufkommen lassen. Unbeirrt setzten sie ihren Weg fort, davon überzeugt, eines Tages die Früchte ihrer Saat ernten zu können.

Es muß wohl in der Natur der Sache liegen, daß Kunstbetrachter oftmals dazu neigen, moderner Kunst zunächst mit Ablehnung zu begegnen und gedankenlose, vorschnelle Urteile zu fällen. Natürlich ist es bequemer, am Herkömmlichen festzuhalten und alles Neue zu verdammen, als sich mit etwas auseinanderzusetzen, was man nicht auf Anhieb zu verstehen und zu deuten vermag.

Was aber sind in der Kunst „Gesetze", was „Willkür und Zügellosigkeit"? Mit diesem Problem befaßte sich Emil Nolde in einem Brief aus dem Jahre 1907 und hatte sogleich eine Antwort parat: „Jeder wirkliche Künstler", so schrieb er, „schafft neue Werte, neue Schönheit, und es entstehen neue Gesetze — wenn man dieses heikle Wort anwenden will. Das Neue und Schöne, was er bringt, wird, weil es sich den bisherigen Gesetzen nicht unterordnen läßt, als 'Willkür' und 'Zügellosigkeit' bezeichnet. Das sind Vorwürfe, unter denen jede Genialität zu leiden hat. Zuerst war die Kunst, dann nachher formulierten Ästhetiker und Gelehrte Gesetze, leider. Lieber Freund, es ist gar nicht schwer, die alte Kunst genießen zu können und mit ihr auf einem vertrauten Fuße zu leben, es ist unendlich viel schwerer, moderne, gerade Gegenwartskunst zu genießen. . . Wenn ich Dir einen guten Rat geben darf, dann ist es dieser: Wenn Du in der Kunst der Gegenwart an Werken eine Gesetzlosigkeit, Willkür oder Zügellosigkeit, wenn Du krasse Roheiten und Brutalitäten wahrnimmst, dann beschäftige Dich lange und eingehend gerade mit diesen Werken, und Du wirst schließlich erkennen, wie die anscheinende Willkür sich in Freiheit, die Roheiten sich in hohe Feinheiten verwandeln. Harmlose Bilder sind selten was wert. . ."

Angesichts dieser Ausführungen erhebt sich die Frage: Waren die Mitglieder der „Brücke" wirklich so revolutionär, wie man sie vielfach hinzustellen versuchte und wie sie sich letzten Endes wohl auch selbst sahen? Strenggenommen eigentlich nicht, denn obwohl sie sich von den akademischen Zwängen befreit, obwohl sie mit ihrer Malerei an den Grundfesten bürgerlichen Schöndenkens gerüttelt und eine „Erneuerung vom Geistigen her" angestrebt hatten, verwarfen sie trotzdem nicht alles bislang Dagewesene, sondern folgten — wo es ihnen ratsam erschien — durchaus den Spuren wegbereitender Kollegen. ,,. . . Während andere Künstlergruppen, wie zum Beispiel die Kubisten, eine ganz neue Sehweise forderten und ihre Darstellung grundsätzlich von der ihrer Vorgänger unterschieden, blieben die jungen Brücke-Maler selbst dann noch, als sich der eigentliche 'Brückestil' gebildet hatte, bei der Malweise der Impressionisten. Sie haben deren Sehart gleichsam elektrisch aufgeladen, die ihr innewohnenden und bisher nicht genutzten Möglichkeiten aufgespürt und sie gewaltsam bis zum Zerreißen gespannt. Das Überkommene wurde von ihnen vor allem durch etwas Wildes, Urwüchsiges, Barbarisches bereichert. Später erst, ums Jahr 1910 etwa, haben sich nach einer stufenweisen Evolution die mächtigen und nicht immer gebändigten Farbstürme der Brückebilder von der impressionistischen Auffassung entfernt. . .'' (Lothar-Günther Buchheim)

Den Mitgliedern der ,, Brücke'' wurden und werden mannigfaltige Einflüsse nachgesagt. So sollen zum Beispiel Symbolismus, Neoimpressionismus, Jugendstil, van Gogh und Matisse sowie die bahnbrechenden Werke von Gauguin und Munch einen wichtigen Ausgangspunkt für ihre Kunst gebildet haben. Daß solche Behauptungen nicht ganz unberechtigt sind, läßt sich an zahlreichen Bildern ablesen. Heckel und Schmidt-Rottluff bemühten sich jedoch in späteren Jahren, einige der weitverbreiteten Meinungen zu korrigieren.

,,Sehr geehrter Herr Dr. Vriesen'', schrieb Erich Heckel am 8. Juli 1946 nach Oldenburg: ,,Sie haben durchaus recht mit Ihrer Feststellung, daß über die Anfänge der neueren Malerei in Deutschland wenig exakte Darstellungen existieren, besonders über die Brücke-Künstler, während Kandinsky, Franz Marc und Macke, vielleicht durch eigene schriftliche Äußerungen, etwas klarer gesehen werden.

Die, wie Sie feststellen, oft wiederholte Behauptung, daß Munch die Brücke beeinflußt und angeregt habe, stimmt tatsächlich nicht. Seine Arbeiten waren uns in Originalen oder Abbildungen in den ersten entscheidenden Jahren 1904-08 oder 09 in Dresden unbekannt. Anlaß zu der von der Kritik wohl meist ungeprüft übernommenen These kann mehreres gewesen sein.

Einmal: die gemeinsame Wurzel: die 'Jugendstilbewegung', die gewisse formale Elemente, die lineare und farbige Entwicklung in der Fläche angebahnt hatte, abstrakter aber auch kristallinisch, wuchshafter Natur, am Anfang des Jahrhunderts. Bei uns, die wir einige Jahre später diesem Stil gegenüberstanden, zum Teil mit einer gewissen Ablehnung, weniger spürbar als bei Munch oder unter uns wieder mehr bei Kirchner, der noch ein oder zwei Semester mehr bei Obrist in München arbeitete.

Dann: es besteht eine Verwandtschaft zu Munch im Erleben und in der Einstellung zum Menschen, wie sie Kandinsky oder Marc nicht haben. Schließlich: in der Grafik ergeben sich aus dem rein Handwerklichen Ähnlichkeiten. (Da auf das Handwerkliche und Materialgerechte Wert gelegt wird, ist wiederum eine allgemeine Zeiterscheinung.) Beim Holzschnitt die Ausnutzung der Holzfaser und der Maserung; für Farbdrucke das Zersägen des Stockes in die mit verschiedenen Farben einzuwalzenden Teile, wie es neuerdings Derain in Illustrationen zu Pantagruel wieder getan hat. In der Lithographie, die von der nur die Zeichnung reproduzierenden Art zu graphischer Druckwirkung entwickelte Technik ohne Maschine mit der Hand abgeriebener, selbst geätzter Lithos.

In der Plastik, die aus dem Stamm oder Stein herausgeschlagene und geschnittene Form ohne Tonmodell und Übertragung, wie es bereits von Gauguin, natürlich vor ihm auch von anderen Bildhauern, getan wurde, nur daß wir diese Arbeiten Gauguins oder der frühen Griechen, deren Entstehung Blümel vor einigen Jahren und auch Philipp Harth auf diese Weise erklärt haben, nicht kannten, leider, da die geleistete Vorarbeit von uns nicht genutzt werden konnte."

Wenige Tage zuvor hatte auch Schmidt-Rottluff in einem Schreiben an Gustav Vriesen zu diesem Thema Stellung genommen: „. . . Über die immer wiederkehrende Meinung, Brücke wäre von Munch angeregt worden, habe ich von neuem den Kopf geschüttelt. Die einfachste stilkritische Untersuchung hätte den Irrtum ohne weiteres aufklären müssen. Munchs Formensprache hängt meiner Ansicht nach eng mit dem Jugendstil zusammen, während man das von der Brücke kaum behaupten kann. Wenn hier und da einmal in den Linienführungen etwas an Munch Erinnerndes vorkommt — selten genug — beweist das nichts. Daß Munch von uns geschätzt worden ist, war selbstverständlich — und um die Zeit, da Munch in der großen Öffentlichkeit herausgestellt wurde, hatten die Brückeleute längst ein eigenes Gesicht. Ich glaube fast, es ist eine kunsthistorische Verlegenheit, wie Munch in die Entwicklungsgeschichte eingegliedert werden sollte, da er eine Einzelerscheinung war. Man hat früher gern nach den Vätern der Brückeleute gesucht. Als in den 20er Jahren in Berlin eine erste Rouault-Ausstellung war, hat ein Berliner Kritiker befriedigt geäußert: 'Nun wissen wir endlich, wo die Brückeleute herkommen!' So manche Irrtümer haben sich weitergeschleppt — wie das so geht. Um die Zeit, da die Brücke gegründet worden ist, hatten wir und ebenso andere herzlich wenig Ahnung, was vielleicht in Frankreich und anderswo vorging — man kannte damals gerade erst die Impressionisten — nicht einmal Cézanne. Van Gogh kam uns zeitlich zu spät, er war uns natürlich eine Art Bestätigung — wobei ich von mir bekennen muß, daß ich damals seiner Betonung des Umrisses fremd gegenübergestanden habe. . ."

Daß die „Brücke"-Maler Munch anfangs noch nicht gekannt und von dem, was „anderswo vorging", kaum eine Ahnung gehabt haben wollen, muß insofern verwundern, als sie eifrige Galeriebesucher waren und somit auch in Dresden hinreichend Gelegenheit gehabt hätten, entsprechenden Werken zu begegnen. Bereits im November 1905 — dem Gründungsjahr von „ Brücke"

— fand beispielsweise in der dortigen Galerie Arnold eine Ausstellung mit 50 Gemälden van Goghs statt, 1906 wurden — ebenfalls bei Arnold — Bilder von Gauguin, van Gogh und den Neo-Impressionisten und im Sächsischen Kunstverein 20 Gemälde von Edvard Munch gezeigt.

Die Behauptung eines Biographen, man habe sich zeitweise mit dem Gedanken getragen, ,,Munch und Matisse von sich aus die Mitgliedschaft anzutragen'', klingt allerdings wenig überzeugend.

Da die Bestrebungen der ,,Brücke'' und der ,,Fauves'' gewisse Parallelen aufwiesen und man zu ganz ähnlichen Ergebnissen gelangte, war es nicht verwunderlich, daß 1908 im Rahmen einer ,,Brücke''-Ausstellung bei Emil Richter in Dresden in einem Nebensaal 60 Arbeiten der ,,Fauves'' gezeigt wurden. Die Anregung dazu stammte von Max Pechstein, der anläßlich seiner Paris-Reise schon im Jahre 1907 mit der Kunst dieser ,,Wilden'' in Berührung gekommen war und in der Folgezeit ihre Einflüsse in seinen Bildern verarbeitet hatte. Durch Pechstein mochten die anderen manches über die französischen Kollegen in Erfahrung gebracht haben, bevor sie selbst deren Werke zu sehen bekamen.

Irreführend ist die verbreitete Meinung, van Dongen sei ,,als Verbindungsmann zu den gleichgesinnten Fauves'' anzusehen, denn die Bedeutung, die er für die Künstler der ,,Brücke'' hatte, war keinesfalls so weitreichend, daß sich daraus irgendwelche Rückschlüsse ziehen ließen.

Die künstlerische Auseinandersetzung mit Werken van Goghs führte dazu, daß Emil Nolde spöttisch meinte: ,,Ihr solltet euch nicht 'Brücke', sondern 'van Goghiana' nennen.''

Was damals ebenfalls nicht ohne Wirkung auf die Maler blieb, waren die Kunst der Primitiven und spätgotische Holzschnitte. Kirchner berichtete in der ,,Chronik'': ,,. . . Dresden gab aber durch die landschaftlichen Reize und seine alte Kultur viele Anregungen. Hier fand 'Brücke' auch die ersten kunstgeschichtlichen Stützpunkte in Cranach, Beham und anderen deutschen Meistern des Mittelalters. . .''

Und seinem Tagebuch vertraute er an, welch ungeheuren Eindruck Abbildungen aus indischen buddhistischen Höhlentempeln des 6. Jahrhunderts bei ihm hinterlassen hatten: ,,Diese Werke machten mich fast hilflos vor Entzücken. Diese unerhörte Einmaligkeit der Darstellung bei monumentaler Ruhe der Form glaubte ich nie erreichen zu können, alle meine Versuche kamen mir hohl und unruhig vor. Ich zeichnete vieles an den Bildern ab, um einen eigenen Stil zu gewinnen. . .''

Spricht man von Anregungen und Einflüssen, so darf nicht außer acht gelassen werden, daß die Mitglieder der ,,Brücke'' auch aus der Literatur wertvolle Impulse empfingen. Heckel und Schmidt-Rottluff hatten schon während der Schulzeit an Diskussionen in literarischen Zirkeln teilgenommen. Zumindest in den Jahren 1905 und 1906 fanden bei ,,Brücke'' dann ganz ähnliche Abende statt, an denen u. a. Ibsen, Strindberg, Dostojewskij, Hauptmann oder Nietzsche gelesen und diskutiert wurden. Insbesondere in Friedrich Nietzsche erkannten sie gleichsam den Botschafter dessen, was ihnen vorschwebte. „Sie hofften, an Ursprünge zu gelangen, aus denen ein neuer Mensch erwachsen könnte, den Friedrich Nietzsche ihnen als Ziel gewiesen hat. Als glühende Verehrer Nietzsches fanden sie ihren Glauben, ihre Sehnsucht und Zuversicht im 'Zarathustra' bestätigt . . .'' (Wolf-Dieter Dube).

Einen Schwerpunkt im Schaffen der „Brücke'' bildete schon frühzeitig die Graphik, die zum bedeutenden Ausdrucksmittel der Gruppe wurde und deren Einfluß bald auch in der Malerei spürbar war.

„Der Wille, der den Künstler zur graphischen Arbeit treibt'', äußerte Ernst Ludwig Kirchner, „ist vielleicht zu einem Teil das Bestreben, die einmalige lose Form der Zeichnung fest und endgültig auszuprägen. Die technischen Manipulationen machen andererseits im Künstler Kräfte frei, die bei der viel leichteren Handhabung des Zeichnens und Malens nicht zur Geltung kommen. Der mechanische Prozeß des Druckens faßt die einzelnen Arbeitsphasen zu einer Einheit zusammen, die Formungsarbeit kann ohne Gefahr solange ausgedehnt werden, als man will. Es hat einen großen Reiz, in wochen-, ja monatelanger Arbeit immer und immer wieder überarbeitend, das Letzte an Ausdruck und Formvollendung zu erreichen, ohne daß die Platte an Frische verliert. Der geheimnisvolle Reiz, der im Mittelalter die Erfindung des Druckens umfloß, wird auch heute noch von jedem verspürt, der sich ernsthaft und bis in die Details des Handwerks mit Graphik beschäftigt. Es gibt keine größere Freude als die, die Druckwalze das erste Mal über den eben fertig geschnittenen Holzstock fahren zu sehen, oder die lithographische Platte mit Salpetersäure und Gummiarabikum zu ätzen und zu beobachten, ob die erstrebte Wirkung einsetzt, oder an den Zustandsdrucken das Ausreifen der endgültigen Fassung eines Blattes zu prüfen. Wie interessant ist es, graphische Blätter bis in die kleinsten Details abzutasten, Blatt um Blatt, ohne daß man die Stunden rinnen fühlt. Nirgends lernt man einen Künstler besser kennen als in seiner Graphik . . .''

Kirchner war auf diesem Gebiet nicht nur einer der Hervorragendsten, sondern auch einer der Unermüdlichsten und Experimentierfreudigsten. Sein graphisches Werk dürfte insgesamt mehr als 2000 Arbeiten umfassen. Bereits die beiden Bände des Graphikkataloges, von Gustav Schiefler in den Jahren 1920 bzw. 1926 herausgegeben, verzeichnen 586 Holzschnitte, 452 Lithographien — darunter zahlreiche Farblithographien — und 559 Radierungen. Für jede dieser Techniken setzte er seine reiche Erfindungsgabe ein, um alle nur denkbaren Ausdrucksmöglichkeiten auszukosten.

Den Holzschnitt bezeichnete er als „die graphischste der graphischen Techniken . Seine Ausübung'', so betonte er, „verlangt viel technisches Geschick und Interesse.'' Daß Kirchner diese Voraussetzungen bestens erfüllte, steht außer Frage, und er war sich dessen durchaus bewußt, denn die

Leichtigkeit, mit der ihm das Holzschneiden von der Hand ging, bestätigte ihm immer wieder seine Fertigkeit.

„. . . So kam er auf ungezwungene Weise durch die hier notwendige Vereinfachung zu einem klaren Stil in der Darstellung. Wir sehen in seinen Holzschnitten, die sein Schaffen ständig begleiten, die Formensprache der Bilder vorgebildet . . . Die Lebendigkeit seiner Anschauung bewahrte ihn dabei vor der Gefahr des Schematischen, das die meisten Holzschnitte unserer Tage so unerfreulich macht. Kirchner versuchte frühzeitig, den Holzschnitt zur Illustrierung zu benutzen. Er ließ als erster seine Platten gleichzeitig mit den Schrifttypen drucken (im Sturm, Jahr 9/10) und gab damit unfreiwillig den Anstoß zu der Hochflut der mit Holzschnitten illustrierten Bücher unserer Tage . . . Er versuchte sich auch darin, Schrift und Bild zusammen zu schneiden und so die Buchseite als Ganzes zu gestalten . . . Neben dem einfachen Schwarzdruck schuf er eine Reihe Farbholzschnitte. Er kam durch viele Versuche dazu, in neuer Art, ohne Umrißplatte mit zwei bis zehn Platten zu arbeiten . . . Die Farbplatten gehen immer über die ganze Fläche. Kirchner würde nie wegen eines andersfarbigen Punktes eine Platte schneiden. So ist zum Beispiel 'Mann und Mädchen' mit drei Farben: blaugrün, orange, gelb, übereinander gedruckt. Solche Farbendrucke sind wirklich farbig komponiert und wohl zu unterscheiden von nur kolorierten Schwarzdrucken. Es gibt Zustandsdrucke von mehrfarbigen Arbeiten, bei denen die einzelnen Farben verschieden gestuft sind. Manchmal sind Platten weggelassen, manchmal enthält ein Zustandsdruck deren mehr als die Auflagendrucke. Man sieht daran, wie der Künstler mit den Farben experimentiert. Ein Farbdruck entsteht wie ein Gemälde. Beim Drucken benutzt Kirchner gern die Elastizität des Holzes. Auf diese Weise entstehen die verlaufenden Stellen . . ."

Diese Schilderung stammt nicht — wie man vielleicht vermuten könnte — von einem Kunsthistoriker, sondern vom Maler selbst. Es gehörte nämlich zu Kirchners Eigenarten, sich als sein eigener Interpret und auch als sein eigener Kritiker zu betätigen, wobei er selbstverständlich nichts unversucht ließ, für seine Kunst zu werben. Zumeist bediente er sich bei derartigen Aufsätzen des klangvollen Pseudonyms Louis de Marsalle. Das verschaffte ihm nach außen hin eine gewisse Neutralität und milderte zugleich ein wenig, was ansonsten wohl zu sehr nach Eigenlob geklungen hätte. Kirchners kunsttheoretische Abhandlungen wurden allgemein geschätzt und in Ausstellungskatalogen beziehungsweise renommierten Zeitschriften veröffentlicht. Auch wir verdanken ihnen aufschlußreiche Informationen und einen tieferen Einblick in die Gedanken- und Arbeitswelt des Künstlers.

Ebenfalls ausführlich äußerte er sich unter Pseudonym zu seinen anderen graphischen Arbeiten: „. . . Wie die Darstellung hat er auch die Techniken seinen speziellen Bedürfnissen dienstbar gemacht. Durch geduldiges Versuchen über viele Mißerfolge hinweg hat er in der lithographischen Technik Verfahren gefunden, die diese mit Recht und Unrecht etwas stiefmütterlich behandelte Technik als gleichberechtigt neben die anderen stellt. Sein Terpentinätzverfahren bringt auf dem Stein vorher nie gesehene Tonflächen hervor. Seine Lithos sind Handdrucke. Er bearbeitet so lange seine Steine, bis die erste Zeichnung völlig graphisch geworden ist. Das heißt, die gezeichneten Linien verschwinden und werden durch die Ätzungen neu geformt. Tiefe Schwärzen und seidiges Grau, das durch das Steinkorn erzeugt wird, wechseln ab. Die weiche Tonigkeit der durch das Steinkorn geteilten grauen Stellen wirkt farbig und verleiht den Blättern Wärme. So hat sich Kirchner in der Lithographie eine persönliche Technik geschaffen, die weit reicher an Mitteln ist als der Holzschnitt. Er erfand sich dazu ein farbiges Verfahren, das ihm erlaubt, von einem Stein Farblithos mit beliebig vielen Farbplatten zu drucken. In einem der Malerei analogen Vorgang schaffte er so Farbdrucke von großem Reiz. Jede Farbe ist in sich selbständig durchgebildet. Die Kraft der Formen der einzelnen Platten summieren sich im fertigen Drucke, wo sie übereinander erscheinen. Kirchners Lithos existieren nur in ganz kleiner Auflage, fünf, sieben bis zehn Auflagendrucke und eine Anzahl Zustandsdrucke. Er hat nie auf Umdruckpapier gearbeitet, mit Hilfe dessen heute leider die meisten Lithos entstehen, die eigentlich nichts anderes sind als reproduzierte Zeichnungen. Kirchner hat bis jetzt ungefähr vierhundert Lithos geschaffen, in vier verschiedenen Formaten, deren größtes 50 x 60 cm beträgt. Alle Lithos zeigen den Steinrand. Für die Schwarzdrucke bedient sich der Künstler gern eines zitronengelben Papieres."

Die Radierung wiederum schätzte er, weil sie ihm gestattete, „ohne Schwierigkeiten die Platten mitzunehmen und die erste Niederschrift direkt von der Natur zu machen", und er fügte hinzu: „So enthalten die Radierungen besonders in den ersten Zustandsdrucken die unmittelbarste Hieroglyphe. Reich an temperamentvoller Handschriftlichkeit und abwechslungsreich in den Vorwürfen, sind die Radierungen wie ein Tagebuch des Malers. Figurenszenen, Landschaften, Phantasien finden sich in bunter Folge, daneben ausdrucksvolle Portraits. Die freie Launenhaftigkeit dieser Kunst kommt zu ihrem vollen Rechte. Daneben gibt es bis ins letzte ausgeführte immer und immer wieder überarbeitete Platten, deren ursprünglich glatte Fläche durch die wiederholten Ätzungen in ein energisches Berg und Tal verwandelt ist. Es gibt Platten mit zwei Millimeter dicken, geätzten Strichen neben solchen mit haarfeinen, mit dem Pinsel auf die polierte Fläche aufgetragene hauchdünne Aquatinta und wie Zellenschmelz stark vertiefte Ätzflächen. Oft beleben wieder Kaltnadelstriche die Ätzflächen. Manchmal fängt Kirchner mit den geätzten Flächen an wie bei dem frühen Blatte 'Mann und Frau'. Auf die geätzten Flächen setzt die zweite Ätzung die Linien, darauf folgen wieder tiefere Flächenätzungen und so fort bis zur Vollendung. Das ergibt sehr merkwürdige, ungewohnte Wirkungen. Eine andere Radierung baut sich nur aus klaren Ätzstrichen auf, wie die Straßenszene. Es macht eine große Freude, den Formen Strich für Strich nachzugehen. Man staunt über die freie Kühnheit, mit der die Figuren, besonders kleine Gestalten des Hintergrundes, umrissen sind. Scheinbar nachlässig zu langgezogene Striche formen lebendig mit, durchgezogene, eigentlich verdeckte Formen (der Bordstein in der genannten Straßenszene) weiten das Blatt und lassen die Figuren größer erscheinen. Die Radierung ist eine raffinierte Technik. Gerade der schwerste Druck erzeugt diese feinen Linien. Leicht erhaben sitzen sie auf dem sammetglänzenden Grunde. Die Druckerschwärze wird in das Papier eingepreßt und hat so eine ganz andere Wirkung als beim Litho oder Holzschnitt, wo sie nur obenauf liegt . . .''

Auch für Heckel, Pechstein und Schmidt-Rottluff bildete die Graphik einen wichtigen Bestandteil ihrer Arbeit, denn die Begeisterung für alles Handwerkliche und die Freude am Experimentieren fanden hier den geeigneten Nährboden. In dem von Rosa Schapire herausgebrachten Katalog mit dem graphischen Werk Karl Schmidt-Rottluffs wurden bis 1923 insgesamt 300 Holzschnitte, 105 Lithographien und 70 Radierungen registriert. Der Holzschnitt hatte zu diesem Zeitpunkt den beiden anderen Techniken eindeutig den Rang abgelaufen, während sich Schmidt-Rottluff anfangs, d.h. in den Jahren 1906 - 1908, noch vorwiegend auf Lithographien konzentriert hatte.

Interessanterweise zeigte sich in der Graphik relativ früh die individuelle Note jedes einzelnen. So entwickelte zum Beispiel Schmidt-Rottluff alsbald eine Vorliebe für derbe Sachlichkeit und kompromißlose Vereinfachung des Formalen und riskierte damit, daß selbst kunstbeflissene, ja sogar so kompetente Betrachter wie Edvard Munch beim Anblick seiner Schöpfungen zunächst entsetzt zurückwichen. Wilhelm Arntz schilderte folgende kleine Episode: ,,. . . Eine Reihe von Jahren vor Ausbruch des Ersten Weltkrieges weilte Edvard Munch bei Gustav Schiefler zu Gast. Die Nachmittagspost brachte ein Paket, das Schiefler im Beisein seines norwegischen Freundes öffnete. Ein junger Künstler hatte seine neuesten graphischen Blätter geschickt. Schiefler, der damals schon die Fünfzig überschritten hatte, sechs Jahre älter als Munch, in den Kunstformen des Impressionismus aufgewachsen und ihn gegen den Traditionalismus der Akademien verteidigend und fördernd, war schon frühzeitig von der visionären Kraft Munchscher Bilder gepackt worden und hatte von Munchs geistiger Ebene aus Verständnis gefunden für einen Kreis junger Dresdner Künstler. Schiefler reichte die Blätter, die er soeben erhalten hatte, seinem Freunde Munch. Der Norweger sah sie flüchtig an, legte sie wieder fort und nahm sie zögernd erneut zur Hand. 'Gott mag uns bewahren', stöhnte er. 'Wir gehen schweren Zeiten entgegen.' Den ganzen Abend blieb Munch schweigsam, schweigsam ging er zu Bett. Übernächtigt kam er am anderen Morgen zum Frühstück. Er habe die ganze Nacht nicht schlafen können, erklärte er. Er müsse sein Urteil vom Abend vorher korrigieren. An diesen Blättern sei doch etwas daran. Die ganze Nacht seien sie ihm durch den Kopf gegangen.''

So rasch wie Munch revidierten andere ihr Urteil nicht. Schmidt-Rottluff mußte es sich daher gefallen lassen, lange Zeit weder vom Publikum noch von seiten der Presse richtig zur Kenntnis genommen, geschweige denn gewürdigt zu werden. Erst verhältnismäßig spät schenkte man ihm die verdiente Aufmerksamkeit.

Die Entwicklung, die die expressionistische Bildgestaltung genommen hat, läßt sich gut an den drei Holzschnitten „Villa mit Turm" ablesen, die Schmidt-Rottluff in den Jahren 1909, 1910 und 1911 in Dangast schuf. Bei gleichbleibendem Motiv weist die Ausführung eklatante Unterschiede auf: von der Formauflösung führte ihr Weg über die Formekstase zur Bildformel.

Wie Ernst Ludwig Kirchner hat Max Pechstein seine Begeisterung für alles Graphische schriftlich festgehalten. „Nach längerem Malen ergreift mich Sehnsucht nach der Farbigkeit des Schwarzen in der Graphik, und jede neue Aufnahme der Griffelkunst belohnt mich mit frischen Problemen", gestand er. „Darum liebe und treibe ich Graphik, die kräftigen Schnitte im Holz, den energischen Riß der Nadel auf dem Metall, das schmeichelnde Hauchen der Kreide über den Stein. Am wenigsten wechselt beim Holzschnitt der Handwerksgriff, nur in der Kerbe des Messerschnitts verrät sich die jeweilige Erregtheit oder besonnene Ruhe des Arbeitenden. Reizvoll und immer neu kann man beim Radieren die handwerklichen Griffe gestalten. Mit der Feile silberne Töne hervorlocken, mit dem Pinsel die Ätzsäure verlaufen lassen und knirschend im Metall die starke Nadel dem Wollen unterordnen. Wie vielgestaltig ist der Steindruck, wenn man den Stein selbst zum Druck fertigmacht, ihn ätzt und selbst druckt. Überhaupt, selbst drucken muß man! Die Druckfarbe geschmeidiger oder zäher, das Papier trockener oder feuchter verwendet, gibt neue Reize und Anregungen. Welche Freude, wenn man ein neues Handwerkszeug selbst gefunden und bei der Arbeit als bewährt erkennt. Es ist die Arbeit an sich, welche den Arbeitenden belohnt. Viel schneller und unmittelbarer als beim Malen hat man die Wirkung, und man ist an die Arbeit gefesselt, bis das Blatt fertig gedruckt vor einem liegt . . ."

Die enthusiastischen Worte sprechen für sich. Kein Wunder, daß Pechstein seinem ungestümen Drang nach solcher Betätigung nur allzugern Folge leistete und frühzeitig in die verschiedenen Bereiche der Graphik einzudringen versuchte. Sein erster Holzschnitt war im Jahre 1905 – kurz vor seiner „Brücke"-Zeit also – nach „der Art der Xylographen" entstanden. Mit einem Griffel hatte er die Zeichnung aus hartem Buchsbaumholz geschnitten. Dem Griffel waren das Rundeisen und schließlich „ein kurzes Schustermesser" gefolgt, mit dessen Hilfe er dann ganz auf eine Vorzeichnung verzichten und sogleich ins Holz schneiden konnte.

Auch an der Lithographie fand er schon damals Gefallen. Seiner eigenen Schilderung zufolge hatte sich um die Jahreswende 1908/09 auf diesem Gebiet ein erster Höhepunkt gezeigt, der Anlaß zu weiteren Versuchen war und Pechsteins an Besessenheit grenzenden Eifer ins Unermeßliche steigerte: „Sofort stürzte ich mit der Kreide auf den Stein", berichtete er, „um dann durch Lasierungen und Ätzungen eine nicht nur auf der Oberfläche ruhende

Lithographie zu erzielen. Da, ohne Presse, wurden die Drucke mit der Hand abgezogen. Gebannt nahm ich den Stein im Sommer mit aufs Land, und ihn schleppend, entstanden unmittelbar vor der Natur Lithographien. Zur selben Zeit hantierte ich auch mit Zinkplatten, Ätzwasser und kalter Nadel. Beides noch getrennt auf der Platte anwendend, bis eine spätere Zeit volle Kenntnis und freie Beherrschung der Mittel brachte." Sein Grundsatz lautete: ,,Mit demselben Handwerkszeug, mit dem die Arbeit beendet wird, wird sie auch begonnen, ohne auf dem Holz, Stein oder Metall eine Vorzeichnung zu machen. Vorhergegangene Skizzen, Zeichnungen klären das Wollen, und im Kopfe fertig, vollendet das jeweils erforderliche Handwerkszeug den Gedanken."

Heckels graphisches Schaffen, das etwa 370 Lithographien, 360 Holzschnitte und 180 Radierungen umfaßt, steht dem der Kollegen weder an Umfang noch an Bedeutung nach. Insbesondere in den Jahren 1909 - 1911 nahm der Holzschnitt einen breiten Raum in seinem Gesamtwerk ein, und die Erkenntnisse, die der Künstler hierbei gewann, blieben nicht ohne Auswirkung auf seine Malerei.

,,Für den farbigen Holzschnitt, der sonst durch den Druck von mehreren verschieden eingefärbten Holzstöcken erzielt wird, hat Heckel eine einleuchtende Erfindung gemacht, die meist Derain zugeschrieben wird: Er zersägte die schon mit dem Holzschnittmesser bearbeiteten Stöcke, färbte die einzelnen Teile verschieden ein und fügte sie vor dem Druck wie ein Puzzlespiel wieder zusammen, angeregt durch die Intarsientechnik, die damals von der 'Werkstätten'- Bewegung für den Möbelschmuck angewandt wurde." (Lothar-Günther Buchheim)

Fritz Bleyl, der Mitbegründer der ,,Brücke", sah sich nach relativ kurzer Zeit gezwungen, die Gemeinschaft zu verlassen, um sich eine sicherere Existenz aufzubauen. Ab 1909 widmete er sich wieder ganz seinem eigentlichen Metier, der Architektur, und ist daher als Maler und Graphiker nahezu in Vergessenheit geraten. Zu dem wenigen, was von ihm bekannt ist, gehört der Holzschnitt ,,Haus mit Freitreppe" aus der 1. Jahresmappe der ,,Brücke".

Bei der fünften Ausstellung der ,,Brücke", die 1910 in der Galerie Arnold in Dresden stattfand, lag das Schwergewicht ebenfalls auf dem graphischen Werk. Besonders interessant und erwähnenswert, weil für den damals noch bestehenden Einklang der Gruppenmitglieder charakteristisch, sind jene Holzschnitte des Ausstellungskataloges, die von den Künstlern nicht nach einem eigenen Bild, sondern nach dem eines Kollegen geschnitten wurden. So enthielt der Katalog u.a. je zwei Holzschnitte von Heckel und Pechstein nach Bildern Ernst Ludwig Kirchners sowie zwei von Kirchner nach deren Bildern.

Max Pechstein, der bereits 1908 nach Berlin übergesiedelt war, konnte sich im Frühjahr 1909 rühmen, als erster aus dem Kreis der ,,Brücke" von der gestrengen Jury anerkannt und mit drei Werken in die Ausstellung der „Berliner Sezession" aufgenommen worden zu sein. Der Freude darüber folgte alsbald eine herbe Enttäuschung, denn 1910 ereilte ihn das gleiche Schicksal wie sechsundzwanzig andere Maler – unter ihnen Emil Nolde –, die Arbeiten für die nächste Ausstellung der „Sezession" eingereicht hatten: er wurde abgelehnt. Verbittert und empört über diese Maßnahme veranstaltete er daraufhin zusammen mit seinen Leidensgefährten in der Galerie Macht die „Kunstausstellung Zurückgewiesener der Sezession Berlin 1910" und gründete mit einigen Kollegen, zu denen die Mitglieder der „Brücke" und der „Neuen Künstlervereinigung München" zählten, die sogenannte „Neue Sezession".

Über die Zielsetzung dieser Institution sollte das Vorwort des Ausstellungskataloges Aufschluß geben: „Eine Dekoration, gewonnen aus den Farbanschauungen des Impressionismus, das ist das Programm der jungen Künstler aller Länder. Die Linie sei nicht formausdrückend, formbildend, sondern formumschreibend, einen Empfindungsausdruck bezeichnend und das figürliche Leben an die Fläche heftend. Die jungen Künstler aller Länder empfangen ihre Gesetze nicht mehr vom Objekt, dessen Eindrücke mit den Mitteln der Malerei zu erreichen der Wille der Impressionisten war, sondern sie denken an die Wand, und zwar in Farben. Sie wollen nicht mehr die Natur in jeder ihrer flüchtigen Erscheinungsformen wiedergeben, sondern die persönlichen Empfindungen vor einem Objekt derart verdichten, zu einem charakteristischen Ausdruck zusammenpressen, daß der Ausdruck ihrer persönlichen Empfindungen stark genug ist, um für ein Wandgemälde auszureichen."

Im Grunde hätten diese Informationen ein Leitfaden zum besseren Verständnis ihrer Denkweise und ihrer später als „expressionistisch" deklarierten Werke sein können, doch was nützen präzise Angaben, wenn sie ignoriert werden. Ähnlich wie die „Brücke"-Ausstellung von 1907 im Kunstsalon Richter stieß auch die „Kunstausstellung Zurückgewiesener" größtenteils auf Ablehnung. Schon das Ausstellungsplakat von Max Pechstein wurde zum Stein des Anstoßes. Karl Scheffler schrieb in „Kunst und Künstler" eine beleidigende, von Spott durchtränkte Rezension: „An den Schaufenstern der Kunsthandlung von M. Macht in der Rankestraße I erschreckt, empört und erheitert doch auch wieder die Vorübergehenden ein Plakatbild, wie es die Welt noch nicht gesehen hat. Eine so elende und schmierige gemeine Stümperei eines Nichtskönners hat sich wohl noch nie ans Licht der Öffentlichkeit gewagt wie diese Plakatzeichnung. Ein kniendes, fettes nacktes Mensch schwarz auf weiß mit unglaublicher Roheit in breiten Umrissen von einem armseligen Kleckser hingepinselt mit gänzlich formlosem Antlitz, aus dem ein paar dicke, scheußlich grellrote Mohrenlippen vorquellen, zieht die Sehne eines Bogens an, um den aufgelegten Pfeil abzuschießen. Dies Plakat ohnegleichen lädt den Vorübergehenden ein, sich teils zu Fuß, teils im Lift in das höchste Stockwerk des Hauses hinauf zu bemühen, wo man die Säle der Galerie Macht geöffnet finden wird, in denen die von der Jury der Berliner Secession zurück-

jedoch in Schweigen, so daß man wohl davon ausgehen kann, daß seine Mitgliedschaft ohne nennenswerte Bedeutung für diese war.

Akte und Landschaften zählten zu den bevorzugten Motiven der „Brücke"-Künstler, ganz gleich, ob es sich um Ölbilder, Aquarelle oder graphische Arbeiten handelte.

Der Akt, „die Grundlage aller bildenden Kunst", hat im Laufe der Zeit so manche bedeutsame Wandlung erfahren. Diente er beispielsweise in der Renaissance dem Zwecke anatomischer Studien und „der Bestätigung des Leiblichen als Komponente des Individuums", war er im Manierismus häufig „Symbol kosmischer Zeugungskraft oder kaum verschleierter sexueller Reize".

Weibliche Aktmodelle wurden in den Akademien erst um die Mitte des 18. Jahrhunderts zugelassen. Bis dahin mußten auch für den weiblichen Akt die Herren der Schöpfung Modell stehen. Zwar hatte der Akt seit dem 18. Jahrhundert an Eigenwert gewonnen, doch haftete den akademischen Aktzeichnungen noch zu Beginn des 20. Jahrhunderts jene gekünstelte, gezierte Atelieratmosphäre an, durch die sich die „Brücke"-Maler abgestoßen, ja provoziert fühlten. Solche Unnatürlichkeit widerstrebte zutiefst ihrem künstlerischen Empfinden. Ihnen war vielmehr daran gelegen, den Akt — wie Kirchner gesagt hatte — „in freier Natürlichkeit zu studieren", denn nur so bestand die Möglichkeit, „aus dem Leben die Anregung zum Schaffen zu nehmen und sich dem Erlebnis unterzuordnen . . ."

Fritz Bleyl berichtete über die Anfangszeit, als sie sich noch bei Kirchner zum gemeinsamen Schaffen trafen: „Wöchentlich einmal kamen wir regelmäßig, zuerst bei Kirchner, zusammen. Der Wunsch, nach dem lebenden Modell zu zeichnen, wurde verwirklicht und sogleich durchgeführt, nicht in herkömmlicher akademischer Weise, sondern als 'Viertelstundenakt'. Bald hatten wir als Modell ein bezauberndes junges Mädchen, fast noch ein Kind, die etwa fünfzehnjährige Isabella gefunden, ein quicklebendiges, schönstgebautes, durch keine Korsettmodetorheit verunstaltetes, fröhlich und gewandt auf unsere Ansprüche eingehendes Persönchen . . . Mit wahrer Begeisterung wurde eine Stunde lang, wohl auch länger, gearbeitet und manche gelungene Akt- und Bewegungszeichnung hingelegt, ja hingehauen . . . Oft wurde der Platz schon bei Halbzeit der Viertelstunde gewechselt, so waren wir von geradezu herrlicher Arbeitswut besessen . . ."

Auch mit ihren Plakaten, den Mitgliedskarten und Jahresmappen haben die Maler dokumentiert, welch bedeutende Rolle der Akt in ihrer aller Schaffen spielte. So waren zum Beispiel gleich zwei der in der ersten — 1906 erschienenen — Jahresmappe enthaltenen drei Holzschnitte diesem Sujet gewidmet: „Weibliche Akte" von Heckel und „Kauernder Akt vom Rücken gesehen" von Kirchner. In den Mappen der späteren Jahre, die ab 1909 jeweils nur mit Arbeiten eines einzelnen Künstlers ausgestattet waren — wobei allerdings der Umschlag stets von einem der anderen Maler stammte —, befanden

31

sich ebenfalls etliche Akte, u.a. der Farbholzschnitt „Mit Schilf werfende Badende" sowie die Radierung „Drei Badende an den Moritzburger Seen" von Ernst Ludwig Kirchner und die Lithographie „Tanzende weibliche Akte am Meer" von Max Pechstein.

Wie schon die Titel besagen, haben die Mitglieder der „Brücke" den Akt gern der nüchternen Atmosphäre des Ateliers enthoben und ihn statt dessen in die Weite und Natürlichkeit der Landschaft integriert. Zu diesem Zweck verbrachten sie die Sommermonate mit Vorliebe auf dem Lande, wo sie die Fesseln bürgerlicher Moral abstreifen und gewissermaßen den paradiesischen Urzustand wiederherstellen konnten, d.h. nicht nur die Modelle, sondern auch die Künstler selbst ließen alle Hüllen fallen, führten ein Leben in natürlicher Nackt- und Ungezwungenheit und hielten Szenen dieses zwanglosen Daseins in ihren Bildern fest, wobei die Verschmelzung von Mensch und Natur ein wesentliches Merkmal ihrer Kompositionen darstellt.

„Mensch und Landschaft sind in den Dresdener Jahren der 'Brücke' als Themen oft schwer voneinander zu trennen. Der Mensch figurierte als ein Teil der Natur, ebenso unmittelbar empfunden und unbekümmert wiedergegeben wie eine Pflanze oder ein Baum. Auch hier sind es die elementaren Triebkräfte, die zum Schaffen aufrufen: der Eros durchwirkte als ein leidenschaftlicher Impuls für Freiheit und Unabhängigkeit die Werke der Zeit. Der Abstand zur Tradition ist evident: Begriffe wie 'schön' oder 'häßlich', richtige oder falsche anatomische Modellierung existierten nicht mehr. Modellpose und konventionelle Themenstellung waren auch bei den Aktdarstellungen verpönt. 'Freie Natürlichkeit' war der Ruf, dem die jungen Maler bedingungslos folgten. Er meinte jugendliche Leidenschaft als Schaffensantrieb, Mißachtung aller Konventionen, Befreiung durch die Einsicht, daß alles Natürliche sich durch sich selbst rechtfertige, ohne den Irrweg über die Kunst, sofern sie nicht integrierter Bestandteil des Lebens war." (Paul Vogt)

Hauptanziehungspunkte für die sommerlichen, zum Teil bis in den Herbst hineinreichenden Reisen waren die Moritzburger Seen, das Dangaster Moor und die Insel Fehmarn. Dort arbeiteten die Maler dann meist zu zweit.

Schmidt-Rottluff bevorzugte das Dangaster Moor, wo er sich von 1907 an regelmäßig aufhielt. Es entstanden Werke, deren Kraft und Farbigkeit Kirchner zu dem Ausspruch veranlaßten, die „harte Luft der Nordsee" habe bei Schmidt-Rottluff einen „monumentalen Impressionismus" hervorgebracht.

Heckel leistete dem Freund häufig Gesellschaft, weilte zudem aber auch des öfteren mit Kirchner auf Fehmarn oder an den Moritzburger Seen. Den Sommer des Jahres 1910 verbrachten Heckel und Kirchner gemeinsam mit Pechstein in Moritzburg, anschließend reisten Pechstein und Heckel weiter zu Schmidt-Rottluff nach Dangast.

Über diesen Moritzburger Sommer berichtete Pechstein: „Als wir in Berlin beisammen waren, vereinbarte ich mit Heckel und Kirchner, daß wir zu dritt an den Seen um Moritzburg nahe Dresden arbeiten wollten. Die Landschaft kannten wir schon längst, und wir wußten, daß dort die Möglichkeit bestand, unbehelligt in freier Natur Akt zu malen. Als ich in Dresden ankam und in dem alten Laden in der Friedrichstadt abstieg, erörterten wir die Verwirklichung unseres Planes. Wir mußten zwei oder drei Menschen finden, die keine Berufsmodelle waren und uns daher Bewegungen ohne Atelierdressur verbürgten. Ich erinnerte mich an meinen alten Freund, den Hauswart in der Akademie — ich weiß nun wieder, daß er Rasch hieß —, und er hatte sogleich nicht bloß einen guten Rat, sondern auch jemanden an der Hand und wurde so unser Nothelfer. Er wies uns an die Frau eines verstorbenen Artisten und ihre beiden Töchter. Ich legte ihr unser ernstes künstlerisches Wollen dar. Sie besuchte uns in unserem Laden in der Friedrichstadt, und da sie dort ein ihr vertrautes Milieu vorfand, war sie damit einverstanden, daß ihre Töchter sich mit uns nach Moritzburg aufmachten.

Wir hatten Glück auch mit dem Wetter: kein verregneter Tag. Zwischendurch fand manchmal in Moritzburg ein Pferdemarkt statt. Ich habe das Gedränge um die glänzenden Tierleiber in einem Bild und in zahlreichen Studien festgehalten. Sonst zogen wir Malersleute frühmorgens mit unseren Geräten schwer bepackt los, hinter uns die Modelle mit Taschen voller Fressalien und Getränke. Wir lebten in absoluter Harmonie, arbeiteten und badeten. Fehlte als Gegenpol ein männliches Modell, so sprang einer von uns dreien in die Bresche. Hin und wieder erschien die Mutter, um als ängstliches Huhn sich zu überzeugen, daß ihren auf dem Teich des Lebens schwimmenden Entenküken nichts Böses widerfahren sei. Beschwichtigten Gemüts und von Achtung vor unserer Arbeit durchdrungen, kehrte sie immer nach Dresden zurück. Bei jedem von uns entstanden viele Skizzen, Zeichnungen und Bilder."

Um 1910 wurde der „monumentale Impressionismus" vom spezifischen „Brücke"-Stil abgelöst, der seinerseits ab 1912 der sich entwickelnden individuellen Eigenart des einzelnen zu weichen begann.

Gemessen an dem, was andere Künstler — man denke z.B. an den Kreis um den „Blauen Reiter" — über ihre Arbeit, ihre Ideen und Theorien haben verlauten lassen, sind persönliche Äußerungen der „Brücke"-Maler selten. Das mag damit zusammenhängen, daß sie — wie wir wissen — kein festumrissenes Programm besaßen, sondern ganz einfach das taten, was sie jeweils für das Richtige hielten. Ihre Arbeit wurde von künstlerischer Inspiration bestimmt.

Erich Heckel gab daher der Zeitschrift „Kunst und Künstler", die im Jahre 1914 eine Umfrage zum Thema „Das neue Programm" veranstaltete, kurz und bündig zur Antwort: „Ihrer Aufforderung, etwas zu schreiben, kann ich nicht nachkommen . . . die Formulierung eines Programms ist, glaube ich, Sache der Akademiker und besser noch der Nachkommen, die theoretisch und wissenschaftlich, nicht schaffend, arbeiten. Das Ungewußte wie das Ungewollte ist die Quelle der künstlerischen Kraft. Die Kritik am fertigen Bild ist mir nur gefühlsmäßig möglich."

Schmidt-Rottluff reagierte zwar ein wenig ausführlicher, doch kam er letzten Endes zum gleichen Ergebnis: „Wenn man überhaupt von etwas derartigem wie einem 'Kunstprogramm' sprechen könnte, so ist das meiner Meinung nach uralt und ewig dasselbe. Nur daß Kunst sich immer wieder in neuen Formen manifestiert, da es immer wieder neue Persönlichkeiten gibt — ihr Wesen kann sich, glaube ich, nie ändern. Möglich, daß ich mich täusche. Aber von mir weiß ich, daß ich kein Programm habe, nur die unerklärliche Sehnsucht, das zu fassen, was ich sehe und fühle, und dafür den reinsten Ausdruck zu finden. Ich weiß nur noch, daß das Dinge sind, denen ich mit den Mitteln der Kunst nahekommen kann, aber weder gedanklich noch durch das Wort."

Interessant ist in diesem Zusammenhang auch ein Auszug aus einem Brief, den Emil Nolde am 28. Oktober 1906 schrieb und in dem er ebenfalls darauf hinwies, daß für ihn nicht theoretische Überlegungen, sondern unmittelbares Erleben im Augenblick des Schaffens ausschlaggebend sei: „. . . Meine Radierungen sind nicht gedanklich construiert, sie entstehen. Wohl denke ich viel, aber die Momente, wo ich wirklich schaffe, sie sind rein, frei von allem, was nicht Kunst ist . . ."

Kirchner, der Gesprächigste unter den Mitgliedern der „Brücke", meldete dagegen gewisse Zweifel in puncto „unbewußten" Schaffens an, zumindest aber wollte er nicht ganz ausschließen, daß bei der künstlerischen Arbeit — von rauschhaften Momenten abgesehen — Zusammenhänge zwischen „bewußt" und „unbewußt" zu bestehen scheinen. „Jeder Mensch ist ein Kind seiner Zeit", betonte er, „auch der Künstler und seine Arbeit ergibt sich aus der Zeit, sofern sie überhaupt einen Wert hat, sie mag unbewußt oder bewußt sein. Ich glaube, daß der Künstler wohl in seinen Anfängen unbewußt schafft, daß aber mit der steten Übung und Streben allmählich eine gewisse Gewandtheit ins Schaffen kommt, in die Gestaltung der Form und der Farbe. Viele Künstler bestreiten das, es ist aber doch nicht anders möglich, der Prozeß gerade in der Ölmalerei muß doch bei der Arbeit kontrolliert werden, schon die Farbmischung bindet den Malenden an gewisse Vorschriften, und der stete mit der vorhandenen Absicht zu vergleichende Gestaltungsprozeß verlangt doch eine ganz bewußte Disziplinierung und planmäßiges Arbeiten, wenn man nicht unhaltbare Erzeugnisse oder undefinierbare Schmierereien machen will.

Was der Maler nicht bewußt erzeugen kann, ist reine Handschrift und die Eigenart, mit der er die äußeren Erscheinungen sieht und verarbeitet. Das war immer so seit den Uranfängen bis heute und wird auch immer so sein.

Die Phantasie, die mir das Erlebnis einmalig gestaltet, so daß ich es vor mir sehe, wenn ich die Augen schließe, ist gewiß 'unbewußt'. Ich habe auch in Momenten größten Rausches 'unbewußt' gezeichnet und gemalt, ohne daß ich es merkte . . . Aber in der Regel greift man doch sehr bewußt zu Pinsel und Palette. Man will etwas malen, und man drückt die Farben doch auch 'bewußt' aus der Tube. Das Geheimnis liegt nicht im momentanen Schaffen, es liegt im Sehen, in der Vorstellung, der Phantasie, darin, daß ein Mensch die

Kraft hat, es in ein inneres Bild, das ihm sein Erleben gibt, sichtbar zu machen. Das 'Wie' hängt davon ab, wie weit er in menschlicher Entwicklung kommt, denn jede Stufe seiner Entwicklung drückt sich in der Handschrift seiner Werke aus, wenn auch ihr großer Zug immer derselbe bleibt (siehe Rembrandt, Dürer etc.). Es gibt bei jedem große Abschnitte im Leben . . ."

Im Laufe der Zeit erwiesen sich die konservative Atmosphäre der Residenzstadt und die voreingenommene Haltung des Dresdner Publikums mehr und mehr als Hemmschuh für die fortschrittlich gesinnten jungen Maler. Wollten sie sich eine künstlerische Existenz aufbauen und internationale Beachtung finden, schien es angebracht, sich in einer der Kunstmetropolen niederzulassen. Paris, München und Berlin waren jene bedeutenden Zentren, von wo aus die moderne Kunst ihren Weg in die Welt nahm.

Für die „Brücke"-Mitglieder lag die Reichshauptstadt natürlich am nächsten. Zudem hatten Pechstein und Mueller dort bereits Fuß gefaßt, und so siedelten Heckel, Kirchner und Schmidt-Rottluff im Jahre 1911 ebenfalls nach Berlin über.

Was sie erwartete, übertraf bei weitem das, was ihnen Dresden hatte bieten können. Zwar galt in den Augen der Öffentlichkeit auch die sächsische Provinz-Hauptstadt als Kunststadt, doch wurde diese Meinung von den Malern, die so vielen Vorurteilen ausgesetzt gewesen waren, nicht geteilt. Schon im Winter 1908/09 hatte Schmidt-Rottluff in einem Schreiben an seinen Schweizer Kollegen Cuno Amiet geäußert: „Es ist unbegreiflich, daß Dresden den Ruf einer Kunststadt außerhalb genießt — ganz unberechtigt . . ."

Und auch Franz Marc, der in seinem Aufsatz über „Die Wilden Deutschlands" im Almanach des „Blauen Reiters" auf die „Brücke" einging, bemerkte: „. . . Dresden erwies sich als ein zu spröder Boden für ihre Ideen . . ."

In Berlin dagegen war Leben, pulsierendes, fortschrittliches Leben. Hier trafen die avantgardistischen künstlerischen Bewegungen der Zeit zusammen, hier waren auch die Wurzeln des literarischen Expressionismus zu finden. Wertvolle Kontakte konnten geknüpft werden, z.B. zum „Neuen Club", der 1909 von dem Publizisten und Kritiker Kurt Hiller gegründet worden war, zum Kreis um Herwarth Walden und den „Sturm" sowie zum „Aktion"-Kreis um Franz Pfemfert.

Die Bezeichnung „Expressionismus" wurde alsbald zum Schlagwort, wenngleich gar nicht leicht zu ergründen war, was sie eigentlich besagen sollte. Geht man von dem Adjektiv „expressiv" — ausdrucksvoll, ausdrucksstark — aus, so liegt zwar auf der Hand, daß es sich beim Expressionismus um eine Ausdruckskunst handeln muß, doch kommt man mit diesem Wissen allein nicht weit, denn der Begriff „Expressionismus" ist zu vielschichtig, als daß er sich schon mit einer direkten Übersetzung erklären ließe.

„Eine genaue Definition des Expressionismus als einer Stilrichtung unseres Jahrhunderts wird dadurch fast unmöglich gemacht, daß er so verschiedene

Ausprägungen gefunden hat, wie die visionäre Chagalls, die wilde Soutines, die dichterisch-lyrische, impressionistischen Reizen nicht abholde des frühen Kokoschka, die realistisch-dramatische Beckmanns, die pathetische und schmerzlich leidvolle Rouaults. Aus verschiedenen Welterfahrungen sind trotz des allen gemeinsamen Strebens, am Außen ein Innen zu manifestieren, sich 'auszudrücken', ganz andersartige Formungen entstanden . . .'' (Lothar-Günther Buchheim)

Die Kunstströmung, für die die Bezeichnung ,,Expressionismus'' steht, umfaßte etwa die Jahre von 1905 - 1925, also den Zeitraum der ausklingenden Wilhelminischen Ära, des Ersten Weltkrieges, der Novemberrevolution und der ,,Aufbauphase'' der Weimarer Republik. Der ,,Expressionismus'' war eine Reaktion auf ,,Impressionismus'', ,,Naturalismus'' und ,,Akademismus'', und zwar nicht nur in der bildenden Kunst, sondern auch in der Literatur. ,,Wir alle sind Expressionisten'', verkündete Kurt Hiller unter Bezugnahme auf die Dichtung von Ernst Blass und Georg Heym im Juli 1911 in der Heidelberger Zeitung und fügte hinzu: ,,Es kommt uns wieder auf den Gehalt, das Wollen, das Ethos an . . .''

Der genaue Zeitpunkt der Entstehung des Begriffs ,,Expressionismus'' ist nicht zweifelsfrei festzustellen. Möglich, daß der Terminus erstmals 1911 im Ausstellungskatalog der ,,Berliner Sezession'' erschienen, möglich aber auch, daß er z.B. von Herwarth Walden, dem Gründer und Herausgeber der Berliner Wochenzeitschrift ,,Der Sturm'' oder von Paul Cassirer geprägt worden ist, der behauptete: ,,Bei Munch hab ich gesagt: 'Das is nich Impressionismus, das is Expressionismus!' Aus Ulk — und dabei blieb's.''

Andererseits hielt der Kunsthistoriker Will Grohmann den französischen Kritiker L. Vauxcelles für den eigentlichen Urheber. ,,Das Wort'', so betonte er, ,,stammt nach Matisse von dem Kritiker L. Vauxcelles, also von einem Franzosen, obwohl es in Frankreich weder eine Ausdruckskunst in unserem Sinn gegeben hat noch der Begriff Expressionismus sich einbürgerte . . .''

Doch wie dem auch sei, in Deutschland war er dafür bald gang und gäbe, ja man bezog ihn sogar insbesondere auf die deutsche Avantgarde, wie z.B. auf die Kunst der ,,Brücke'' und des ,,Blauen Reiters''.

Über die Malweise als solche schrieb der amerikanische Maler Lyonel Feininger in ,,Das Kunstblatt'' (Jahrgang 1931): ,,Das Prinzip des expressionistischen Schaffens in der Malerei ist grundsätzlich verschieden von dem des Impressionismus. Die Natur schalten wir aus als 'Richtschnur' und 'Vergleichsmaßstab' für das Gestalten. Wir haben die Natur aus dem Bestreben heraus überwunden im Werk, um frei gestalten zu können. Das einzelne Werk dient jedesmal als Ausdruck unseres jeweiligen eigensten Seelenzustandes und der unabweislichen, imperativen Notwendigkeit der Befreiung durch entsprechende Gestaltung: in Rhythmus, Form, Farbe und Stimmung des Bildes. Daher nur entspringt die Verschiedenartigkeit der Gestaltungen bei einem und demselben Maler, die nach dem üblichen bisherigen Maßstabe der Beurteilung so leicht zu der Auffassung des Widersprechenden beim Künstler führt . . . In der expressionistischen Malerei haben wir nicht den Naturformenzwang darum bewußt gebrochen, um nach einer neuen, allgemeingültigen, rationalistisch konstruierten Formel in künstlich uniformer Weise zu schaffen, sondern das Bild ist zu dem sensibelsten Dynamometer unserer Regungen gehoben worden, und die Form variiert notwendig jedesmal mit der Gestaltungsaufgabe des Bildes.

Der Impressionist bleibt draußen vor irgendeiner Stelle in der Natur stehen, packt sein Malzeug aus und fängt an, aus einem plötzlichen Impuls das wiederzugeben, was ihm im Augenblick zwingend gegenübersteht. Der Expressionist dahingegen wird durch eine langsam steigende, bis zur Unerträglichkeit stark gewordene Sehnsucht nach einer bestimmten Gestaltung, die sich in seinem Bewußtsein gebildet hat, dazu getrieben, zum Bilde, zur Erlösung von Pein zu kommen . . . Es bleibt stets ein Rest von rationalistischer Wiedergabe an so einem vor der Natur gestalteten Bilde hängen, den zu überwinden unsere erste Aufgabe ist, denn wir haben die innere Vision, die eigene, unbeeinflußte letzte Form für unseren Sehnsuchtsausdruck zu suchen und zu geben. Keine ungefähre Form; niemals eine andere als die letzte, die wir fähig sind zu erschaffen.

Nach dieser Fähigkeit allein ist, für meinen Begriff, der Künstler zu bewerten. Alles Beiwerk, 'Reiz' der Darstellung, 'Manier', fällt gegen das Gelingen des einzigen Erfordernisses fort.

Seit viel zu langer Zeit hat die Malerei ihre Aufgabe darin erblickt, 'reizvoll' zu sein, 'bestechend', wenn Sie wollen. Sie ist aber keine 'Unterhaltung', sondern letztes Ziel zum vertieften Ausdruck . . .''

Die Maler der „Brücke'' galten bald als wichtige Repräsentanten des deutschen Expressionismus. Mit der Übersiedlung nach Berlin hatte sich ihr berufliches Dasein verändert und die Suche nach neuen Ausdrucksmitteln begonnen. Das Großstadtleben unterschied sich gewaltig von dem in der Provinz. Die allgemeine Hektik riß auch sie mit sich fort, und der „homogene 'Brücke'-Stil der frühen Jahre'' wandelte sich „zu einer hartkonturierten und kubisch spitzen Bildhaftigkeit mehr persönlichen Ausdrucks.'' (Roland März)

Unter dem Einfluß des Kubismus wurden die Farben gedämpfter, ohne jedoch an Eindringlichkeit zu verlieren. Zivilisations- und gesellschaftskritische Tendenzen flossen nun in die Bildersprache der Maler mit ein.

In finanzieller Hinsicht änderte sich für sie in Berlin zunächst wenig. Pechstein und Kirchner gründeten — zum Teil wohl auch in der Hoffnung auf zusätzliche Einnahmen — im Jahre 1911 gemeinsam das „MUIM-Institut'', eine Schule für „Modernen Unterricht in Malerei'', doch konnte sich das Unternehmen nicht durchsetzen.

Wie zuvor in Dresden hielten sich die Künstler nur mühsam über Wasser. Gespart wurde vor allem am Wohnbereich. Man hauste in primitiven Dachkammern, die allerdings künstlerisch ausgestaltet dennoch einigermaßen wohnlich wirkten. Gustav Gosebruch berichtete: „Die grenzenlose Dürftigkeit dieser Dachquartiere fiel ja dem Eintretenden nicht so ins Auge, so gaben Otto Muellers feierliche Friese seinen Stuben etwas, man muß schon sagen, Fürstliches, einen großen Stil, hinter dem man den Mangel gar nicht verspürte, und in den Räumen seiner Genossen war es oft phantastisch geschnitzter und ausgemalter Hausrat, der, aus Kisten von ihnen selber gezimmert, den ersten Eindruck reizvoll genug bestimmte. Aber dem teilnehmenden Freundesblick entging doch nicht, daß hinter dem bunten Schein dieser Kistenwelt jede Erleichterung, jede Bequemlichkeit unserer Wohnkultur fehlte, wie konnte es überhaupt, wo von Jahr zu Jahr die Zahl der unverkauften Bilder, jeden Winkel ausfüllend, anstieg, noch möglich sein, hier Ordnung zu halten? Nie habe ich in diesen niedrigen, ganz und gar verstellten Zimmern ein richtiges Bett gesehen . . ."

Im Jahre 1912 beteiligten sich die „Brücke"-Maler an der Kölner Sonderbund-Ausstellung, einer der bedeutendsten Ausstellungen moderner Kunst in Deutschland. Heckel und Kirchner hatten den ehrenvollen Auftrag erhalten, die auf dem Ausstellungsgelände errichtete Kapelle auszumalen. In demselben Jahr stellte die „Brücke" in der Münchner Galerie Goltz gemeinsam mit dem „Blauen Reiter" graphische Arbeiten aus.

Zu den maßgeblichen und einflußreichen Persönlichkeiten des damaligen Berlin gehörte Herwarth Walden — Kunsthändler, Musiker, Schriftsteller und Verleger in einer Person.

1910 hatte er seine Wochenzeitschrift „Der Sturm" gegründet, die neben Franz Pfemferts Zeitschrift „Die Aktion" zum führenden Organ des Expressionismus wurde. Ziel und Aufgabe des Blattes war es, expressionistischen Künstlern aus Literatur und bildender Kunst zum Durchbruch zu verhelfen.

Doch Walden ließ es dabei nicht bewenden, sondern rief noch weitere — dem gleichen Zweck dienende — Einrichtungen ins Leben, so u.a. 1912 eine „Sturm"-Galerie, die fortan regelmäßig Ausstellungen veranstaltete, und zwar sowohl in allen größeren deutschen Städten als auch im Ausland.

Lothar Schreyer, einer seiner engsten Mitarbeiter, hat einmal von ihm gesagt: „. . . Herwarth Walden war ein Erkennender. Er hatte die Gabe und Kraft der Intuition, die Kunstwerke der Weltwende mit untrüglichem Spürsinn zu erkennen. Mit einer faszinierenden Leidenschaft und unbeugsamen Zähigkeit folgte er dieser Gabe. Durch den restlosen Einsatz seiner Person wurde er vom Erkennenden zum Entdecker . . ."

Das zeigte sich auch in bezug auf die „Brücke". Kaum auf sie aufmerksam geworden, setzte sich Walden bereits tatkräftig für die Künstlervereinigung ein. Am 25. Mai 1911 prangerte er im „Sturm" eine Rezension aus der „Kölnischen Zeitung" an, die — anläßlich einer bei Tietz in Düsseldorf veranstalteten Ausstellung der „Brücke" verfaßt — wegen ihrer Unsachlichkeit

seine Empörung hervorgerufen hatte. Walden druckte die Kritik ab und ver-
öffentlichte sie unter dem ironischen Titel „Furchtbar dräut der Erbfeind".

In der Kölner Rezension hieß es u.a.: „. . . Der Ausdruck 'Brücke' soll
wahrscheinlich darauf hinweisen, daß es sich um eine Verbindung deutscher
und französischer Kunst handelt. Die ausgestellten Bilder gehören ihrer
Mehrzahl nach jener neufranzösischen Richtung an, die im vorigen Jahre in
Düsseldorf durch in München seßhafte Russen eingeführt wurde. Einer der
Künstler, der Schweizer Amiet, ist schon ziemlich bekannt, und er schafft
auch halbwegs erträgliche Landschaften. Außerdem beteiligt sich als Gast ein
Dresdner Maler, der nicht eigentlich ganz in die Richtung gehört, weil er in
seinen weiblichen Akten immer noch verrät, daß er Zeichenunterricht genossen
hat, aber in dem Zug des Perversen, mit dem er die Nacktheit darstellt, doch
mit den anderen verwandt ist. Weder ihn noch diese möchten wir mit Namen
nennen, denn es ist schwer, in dem gegebenen Fall bei der Nennung von Namen
dem Vorwurf eines persönlichen Angriffs auszuweichen. Die Bilder sind an
Nichtsnutzigkeit der Zeichnung nicht zu übertreffen und bedeuten nichts
anderes als grellbunte Spielereien von irgendwelchen Kannibalen. Sie sind in
dem Sinne der Malerei als solcher das Ende aller Kunst, grober Unfug. Aber
sie zeigen eine noch viel schlimmere Seite. Die moderne Redensart, daß der
Gegenstand der Kunst gleichgültig sei, wird hier in ganz bösartiger Weise
mißbraucht. Schon voriges Jahr haben wir angesichts jener Russen bemerkt,
daß diese das Weib in ihren Bildern gemein auffassen. Das trifft aber auf die
deutschen Künstler in einem weit stärkeren Maße zu. Was uns da vorgeführt
wird, das atmet den Gifthauch der dunkelsten Lasterstätten irgendeiner
Großstadt und zeigt eine Geisteslage dieser Künstler, die eigentlich nur
pathologisch zu begreifen ist . . . Da ist mit Redensarten, wie das Recht des
Experiments, Entwicklungsprobleme usw. nicht mehr zu arbeiten, da heißt es
klipp und klar: écrasez l' infâme! Fort mit der Gemeinheit!"

Walden ließ die Kritik kommentarlos im Raume stehen und fügte nur — so-
zusagen als kleinen Hieb gegen den Verfasser — den Satz an: „Die Namen der
ausstellenden Kannibalen lauten: Cuno Amiet, E. Heckel, E.L. Kirchner,
Max Pechstein . . ."

Darüber hinaus erwies er sich auch künftig als leidenschaftlicher Verteidiger
und Förderer der Gruppe.

Kaum war die „Brücke" in Berlin vereint, da zeigte es sich, daß von der
ursprünglichen Gemeinsamkeit nicht viel geblieben war. Die Individualität
des einzelnen gewann die Oberhand, man lebte sich künstlerisch auseinander
und begann, getrennte Wege einzuschlagen. Der Austritt Max Pechsteins im
Jahre 1912 ließ kaum einen Zweifel daran, daß das Ende der Künstlervereinigung unaufhaltsam näherrückte und die endgültige Auflösung nur eine Frage
der Zeit sein würde.

Die gemeinsam geplante „Chronik", die ein allgemeiner Rückblick hatte
werden sollen, von Kirchner aber so subjektiv dargestellt worden war, daß sie

von den anderen nicht akzeptiert wurde, brachte dann tatsächlich den Stein ins Rollen. Heckel bemerkte dazu: „Für 1913 planten wir die Herausgabe einer Chronik, die von jedem von uns Handdrucke und Photos nach Bildern (letztere von Kirchner aufgenommen) enthalten sollte und zu der Kirchner den Text verfaßte. Dieser entsprach weder Schmidt-Rottluffs noch Otto Muellers und meiner Sicht der Tatsachen und unserer, das Programmatische ablehnenden Auffassung, so daß wir beschlossen, die Chronik nicht herauszugeben. Jeder erhielt seine Drucke und einen Teil des Textes . . .”

Kirchner, der aus Enttäuschung über diesen Beschluß aus der Vereinigung austrat, hat später die Chronik der „Brücke” als Privatdruck herausgegeben. Der Titelholzschnitt mit Porträts von Kirchner, Heckel, Schmidt-Rottluff und Mueller stammte von ihm selbst, ebenso die beiden Holzschnitte auf der ersten Textseite, während die Holzschnitte der beiden folgenden Seiten von Schmidt-Rottluff und Heckel geschnitten worden waren.

Doch schon vor Abfassung der „Brücke”-Chronik dürfte die Egozentrik Ernst Ludwig Kirchners dazu beigetragen haben, die Harmonie der Gemeinschaft zu unterminieren und Spannungen auszulösen, die zwangsläufig zum inneren Zerfall der Gruppe führen mußten.

Wie unfair sein Verhalten den Kameraden gegenüber war, wenn er z.B. Tatsachen verfälschte oder eigene Bilder vordatierte, ist ihm unter Umständen nicht einmal zu Bewußtsein gekommen, denn wie die meisten psychisch Labilen suchte er die Schuld bei anderen, wurde mißtrauisch und ungerecht.

Über die letzte Zeit der „Brücke” schrieb er: „Inzwischen waren auch Heckel und Schmidt-Rottluff nach Berlin übersiedelt, und durch den Existenzkampf und private Differenzen lockerte sich das Band der Freundschaft zwischen mir und ihnen. Die 'Brücke' zerfiel, weil der einzelne jeder für sich von 'guten Freunden' bearbeitet und verhetzt wurde. Weibergeschichten und Intrigen trugen dazu bei, so daß ich eines Tages feststellen mußte, daß ich meinen Freund Heckel . . . an einen Kunsthistoriker verloren hatte, der ihn 'machen' wollte . . . 1912 war eine große Brückepublikation geplant, zu der ich von allen aufgefordert, den Text zu schreiben hatte. Alle hatten ihm zugestimmt und als richtig erkannt. Als er gedruckt war, sollte er mit einem Male nicht mehr wahr sein, Schmidt-Rottluff fühlte sich zurückgesetzt, und die Versammlung stimmte ihm bei, daß der Text nicht veröffentlicht werden sollte. Daraufhin trat ich aus der Brücke aus und arbeitete allein für mich weiter. Ich war empört über die Gemeinheit der Handlungsweise und die Undankbarkeit meiner ehemaligen 'Freunde'. Der einzige, der mir nachher näherstand, war Mueller, dem ich die Technik der Lithos beibrachte und das rasche Zeichnen . . .”

Welch kühne Behauptung, er habe seinem Freunde Mueller „die Technik der Lithos” beigebracht, denn dieser hatte im Anschluß an seine Gymnasialzeit eine vierjährige Lithographenlehre absolviert und war somit auf eine Belehrung von seiten Kirchners kaum angewiesen.

Nachdem man übereingekommen war, die Künstlervereinigung „Brücke" aufzulösen, wurden die passiven Mitglieder im Mai des Jahres 1913 davon in Kenntnis gesetzt. „Wir teilen Ihnen hierdurch mit", hieß es in dem Schreiben, „daß die Unterzeichneten beschlossen, Künstlergruppe 'Brücke' als Organisation aufzulösen. Mitglieder waren Cuno Amiet, Erich Heckel, E.L. Kirchner, Otto Mueller, Schmidt-Rottluff. Berlin, 27. Mai 1913."

Vier Unterschriften folgten. Nur Kirchner hatte nicht mit unterzeichnet.

Wenngleich die „Brücke" als Kollektiv aufgehört hatte, zu existieren, blieben Heckel, Mueller und Schmidt-Rottluff auch weiterhin freundschaftlich verbunden. Kirchner aber zog sich von den einstigen Freunden zurück und wehrte sich sogar dagegen, noch im Zusammenhang mit „Brücke" genannt zu werden. Im Jahre 1919 betonte er: „Da die Brücke für meine künstlerische Entwicklung nie in Frage kam, ist ihre Erwähnung in einem Aufsatz über meine Arbeit überflüssig . . ."

Was die Vereinigung im Laufe ihres achtjährigen Bestehens aufgebaut und geschaffen hatte, fand mit ihrer Auflösung natürlich kein abruptes Ende, sondern wirkte weiter, trug Früchte, setzte Maßstäbe.

Der Kunstsammler, Verleger und Autor Lothar-Günther Buchheim hat 1956 in seinem umfangreichen Werk „Die Künstlergemeinschaft Brücke" resümierend festgestellt: „. . . Die wesentliche Leistung der Brückemaler war die Befreiung des Künstlers von bestimmten schulmäßigen, durch Generationen immer wieder mit passiver Beflissenheit von vorangegangenen Malern übernommenen Kunstregeln, welche die schöpferische Aussage belasteten und überhaupt zu ersticken drohten. Die Mitglieder der Brücke haben ohne nennenswerte Beeinflussung die revolutionäre Tat geleistet, Mensch und Natur wieder ursprünglich zu erleben und die Darstellung des Geschauten um ihre starke Empfindung zu bereichern. Aus der Sehnsucht nach Wahrheit haben sie mit kühner Hand die idealisierende Allegorien- und Anekdotenmalerei der Jahrhundertwende beiseite geschoben und aus ihrem Verlangen nach Freundschaft und künstlerischer Gemeinschaft im Sinne der alten Bauhütten in den ersten Jahren ihres Bundes einen expressionistischen 'Brückestil' entwickelt, der noch heute, obwohl Brücke als Bewegung historisch ist, ein gültiger Ausdruck der künstlerischen Probleme unserer Epoche ist . . . Es gelang ihnen, die virulenten starken Spannungen und Hintergründigkeiten des modernen Lebens deutlich zu machen. Mit der Gewalt ihres vor der Natur bis zu Hellsichtigkeit gesteigerten künstlerischen Empfindens verhalfen sie der individualistischen Malerei zum Durchbruch . . ."

BILDTEIL

E.L. KIRCHNER: Variété. 1907

E.L. KIRCHNER: Spazierengehendes Paar. 1907

E.L. KIRCHNER: Zwei Mädchen. 1907

E.L. KIRCHNER: Sitzender Akt. 1908/09

E.L. KIRCHNER: Frau mit Federhut. 1910

E.L. KIRCHNER: Zwei badende Frauen. 1910

E.L. KIRCHNER: Liegender Akt vor Spiegel. 1910

E.L. KIRCHNER: Mädchen auf Fehmarn. 1912

E.L. KIRCHNER: Küste von Fehmarn. 1913

E.L. KIRCHNER: Erna mit Zigarette. 1913

E.L. KIRCHNER: Zwei Frauen mit Waschbecken. 1913

E.L. KIRCHNER: Berliner Straßenszene. 1913

E.L. KIRCHNER: Straßenszene. Um 1914

E.L. KIRCHNER: *Bildnis Gerda (II)*. 1914

E.L. KIRCHNER: Wintermondnacht. 1918

E.L. KIRCHNER: Drei Badende an einem Gebirgsbach. 1923

E. HECKEL: Pferde auf der Weide. 1908

E. HECKEL: Rote Häuser. 1908

E. HECKEL: Zwei Frauen. 1909

E. HECKEL: Junger Mann und Mädchen. 1909

E. HECKEL: Badende im Schilf (Ausschnitt). 1909

E. HECKEL: Windmühle, Dangast. 1909

E. HECKEL: Gewitterlandschaft bei Dresden. 1910

E. HECKEL: Sächsisches Dorf. 1910

E. HECKEL: Stehendes Kind (Fränzi). 1910

E. HECKEL: Weiße Pferde. 1912

E. HECKEL: Landschaft auf Alsen. 1913

E. HECKEL: Gläserner Tag. 1913

E. HECKEL: Oluf Samsongang in Flensburg. 1913

E. HECKEL: Frauen am Meer. 1913

E. HECKEL: Fronleichnamstag in Brügge. 1914

E. HECKEL: Leidendes Mädchen. 1914

E. HECKEL: Nordsee bei Ostende. 1916

K. SCHMIDT-ROTTLUFF: Selbstbildnis mit Einglas. 1910

K. SCHMIDT-ROTTLUFF: Landschaft mit Feldern. 1911

K. SCHMIDT-ROTTLUFF: Roter Giebel. 1911

K. SCHMIDT-ROTTLUFF: Bildnis Rosa Schapire. 1911

K. SCHMIDT-ROTTLUFF: Mädchen bei der Toilette. 1912

K. SCHMIDT-ROTTLUFF: Sinnende Frau. 1912

82

K. SCHMIDT-ROTTLUFF: Akte in den Dünen. 1913

K. SCHMIDT-ROTTLUFF: Boote am Wasser. 1913

M. PECHSTEIN: Zerfallenes Haus. Ca. 1907

M. PECHSTEIN: Stilleben. 1909

M. PECHSTEIN: Bildnis in Rot. 1909

M. PECHSTEIN: Geteerte Kähne. 1909

M. PECHSTEIN: Bildnis der Frau des Künstlers. 1910

M. PECHSTEIN: Freilicht (Moritzburg). 1910

M. PECHSTEIN: Mädchen im Walde (Moritzburg). 1910

M. PECHSTEIN: Blauer Tag / Frauenreigen. 1911

M. PECHSTEIN: Ansicht von Schmargendorf / Konstruktion. 1913

O. MUELLER: Fünf gelbe Akte. 1912

O. MUELLER: Badende. 1913

O. MUELLER: Badende unter Bäumen. Um 1912

O. MUELLER: Stehender Akt unter Bäumen. 1915 ▷

94

O. MUELLER: Sitzende Zigeunerin. 1915

O. MUELLER: Liebespaar zwischen Gartenmauern. 1916

O. MUELLER: Zwei Mädchen in Landschaft. O. J.

O. MUELLER: Zwei Mädchen. O. J.

O. MUELLER: Badende Mädchen im Gras. Um 1920

O. MUELLER: Russisches Haus. 1921

E. NOLDE: Roter Mohn. Um 1908/09

E. NOLDE: Junge Ochsen. 1909

E. NOLDE: Herbstmeer XI. 1910

E. NOLDE: Im Nachtcafé. 1911

E. NOLDE: Junges Paar. 1913

E. NOLDE: Junge Dänin. 1913

E. NOLDE: Frauen im Garten. 1916

E. NOLDE: Der Schwärmer. 1919

E. NOLDE: Blumengarten mit Fingerhut und Feuerlilie. 1920

E.L. KIRCHNER: Mädchenakt. 1908

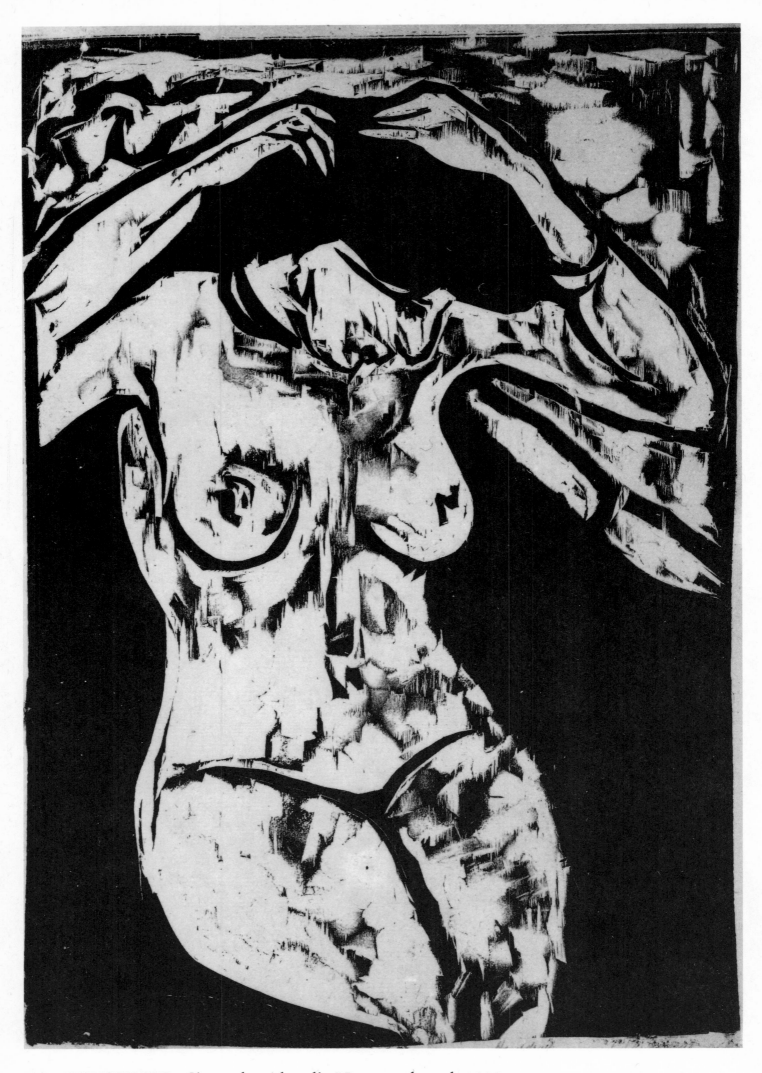

E.L. KIRCHNER: Sitzender Akt, die Haare ordnend. 1908

E.L. KIRCHNER: Berliner Straßenszene. Um 1911

E.L. KIRCHNER: Frau, Schuh zuknöpfend. 1912

E.L. KIRCHNER: Straßenszene / Am Schaufenster. 1914

E.L. KIRCHNER: Kopf Frl. Hardt. 1915

E. HECKEL: Kniende am Stein. 1913

E. HECKEL: Geschwister. 1913

E. HECKEL: Hockende. 1913

E. HECKEL: Schneetreiben. 1914

E. HECKEL: Beim Vorlesen. 1914

K. SCHMIDT-ROTTLUFF: Köpfe I. 1911

K. SCHMIDT-ROTTLUFF: Frau mit aufgelöstem Haar. 1913

K. SCHMIDT-ROTTLUFF: Melancholie. 1914

K. SCHMIDT-ROTTLUFF: Kleine Landschaft mit Leuchtturm. 1914

M. PECHSTEIN: Fischerkopf VII / Nidden. 1911

M. PECHSTEIN: Badende IV. 1911

M. PECHSTEIN: Drei Kähne / Nidden. 1912

O. MUELLER: Zwei sitzende Akte in den Dünen. 1911

O. MUELLER: Zwei hockende Akte. 1919

O. MUELLER: Zwei Mädchen (Halbfiguren). O. J.

E. NOLDE: Kniendes Mädchen. 1907

E. NOLDE: Italiener. 1906

E. NOLDE: Segelboote. 1910

E. NOLDE: Prophet. 1912

E. NOLDE: Kerzentänzerinnen. 1917

VERZEICHNIS DER ABBILDUNGEN

Ernst Ludwig Kirchner   52
Mädchen auf Fehmarn. 1912
Öl auf Leinwand, 125 x 90 cm
Lehmbruck Museum, Duisburg

Ernst Ludwig Kirchner   53
Küste von Fehmarn. 1913
Öl auf Leinwand, 85,5 x 85,5 cm
Hessisches Landesmuseum, Darmstadt

Ernst Ludwig Kirchner   54
Erna mit Zigarette. 1913
Öl auf Leinwand, 72,5 x 60,5 cm
Staatsgalerie Moderner Kunst, München

Ernst Ludwig Kirchner   55
Zwei Frauen mit Waschbecken /
Die Schwestern. 1913
Öl auf Leinwand, 121 x 90,5 cm
Staedelsches Kunstinstitut, Frankfurt

Ernst Ludwig Kirchner   56
Berliner Straßenszene. 1913
Öl auf Leinwand, 121 x 95 cm
Brücke-Museum, Berlin

Ernst Ludwig Kirchner   57
Straßenszene. Um 1914
Öl auf Leinwand, 126 x 90 cm
Von der Heydt-Museum, Wuppertal

Ernst Ludwig Kirchner   58
Bildnis Gerda (II). 1914
Öl auf Leinwand, 70,5 x 55 cm
Von der Heydt-Museum, Wuppertal

Ernst Ludwig Kirchner   59
Wintermondnacht. 1918
Farbholzschnitt, 57,5 x 56 cm

Ernst Ludwig Kirchner   60
Drei Badende an einem Gebirgsbach. 1923
Öl auf Leinwand, 90 x 78,5 cm
Städtisches Museum, Mülheim

Erich Heckel   61 oben
Pferde auf der Weide. 1908
Öl auf Leinwand, 68,5 x 74 cm

Erich Heckel   71
Gläserner Tag. 1913
Öl auf Leinwand, 120 x 96 cm
Staatsgalerie Moderner Kunst, München

Erich Heckel   72
Oluf Samsongang in Flensburg. 1913
Öl auf Leinwand, 68 x 79 cm
Brücke-Museum, Berlin

Erich Heckel   73
Frauen am Meer. 1913
Öl auf Leinwand, 94 x 82 cm
Lehmbruck Museum, Duisburg

Erich Heckel   74
Fronleichnamstag in Brügge. 1914
Öl auf Leinwand, 94 x 82 cm
Städtisches Museum, Mülheim

Erich Heckel   75
Leidendes Mädchen. 1914
Öl auf Leinwand, 98 x 73 cm
Lehmbruck Museum, Duisburg

Erich Heckel   76
Nordsee bei Ostende. 1916
Tempera auf Leinwand, 83 x 96 cm
Brücke-Museum, Berlin

Karl Schmidt-Rottluff   77
Selbstbildnis mit Einglas. 1910
Öl auf Leinwand, 84 x 76,5 cm
Nationalgalerie, Berlin (West)

Karl Schmidt-Rottluff   78
Landschaft mit Feldern. 1911
Öl auf Leinwand, 86 x 94 cm
Lehmbruck Museum, Duisburg

Karl Schmidt-Rottluff   79
Roter Giebel. 1911
Öl auf Leinwand, 75 x 70 cm
Brücke-Museum, Berlin

Karl Schmidt-Rottluff   80
Bildnis Rosa Schapire. 1911
Öl auf Leinwand, 84 x 76 cm
Brücke-Museum, Berlin

Karl Schmidt-Rottluff   81
Mädchen bei der Toilette. 1912
Öl auf Leinwand, 84 x 76 cm
Brücke-Museum, Berlin

Karl Schmidt-Rottluff   82
Sinnende Frau. 1912
Öl auf Leinwand, 102 x 76 cm
Brücke-Museum, Berlin

Karl Schmidt-Rottluff   83
Akte in den Dünen. 1913
Öl auf Leinwand, 73 x 65 cm
Brücke-Museum, Berlin

Karl Schmidt-Rottluff   84
Boote im Wasser, 1913
Öl auf Leinwand, 76 x 91 cm
K.E. Osthaus Museum, Hagen

Max Pechstein   85 oben
Zerfallenes Haus. Ca. 1907
Öl auf Leinwand, 58 x 37 cm
Leonhard Hutton Galleries, New York

Max Pechstein   85 unten
Stilleben. 1909
Öl auf Leinwand, 69 x 97 cm
Privatbesitz

Max Pechstein   86
Bildnis in Rot. 1909
Öl auf Leinwand, 98 x 98 cm
Hessisches Landesmuseum, Darmstadt

Max Pechstein   87
Geteerte Kähne, 1909
Öl auf Leinwand, 65 x 50 cm
Privatbesitz

Max Pechstein   88
Bildnis der Frau des Künstlers. 1910
Öl auf Leinwand, 96,5 x 96,5 cm
Wallraf-Richartz-Museum, Köln

Max Pechstein   89
Freilicht / Moritzburg. 1910
Öl auf Leinwand, 68 x 78,5 cm
Lehmbruck Museum, Duisburg

Max Pechstein   90
Mädchen im Walde / Moritzburg. 1910
Öl auf Leinwand, 80 x 70 cm
Privatbesitz

Max Pechstein   91
Blauer Tag / Frauenreigen. 1911
Öl auf Leinwand, 80 x 100 cm
Ostdeutsche Galerie, Regensburg

Max Pechstein   92
Ansicht von Schmargendorf /
Konstruktion. 1913
Öl auf Leinwand, 74,4 x 74,5 cm
Kunstmuseum, Düsseldorf

Otto Mueller   93 oben
Fünf gelbe Akte. 1912
Farblithographie, 33,5 x 43,7 cm

Otto Mueller   93 unten
Badende. 1913
Leimfarbe auf Leinwand, 108,5 x 145 cm
Westfälisches Landesmuseum, Münster

Otto Mueller   94
Badende unter Bäumen. Um 1912
Leimfarbe auf Leinwand, 115 x 94 cm
Hessisches Landesmuseum, Darmstadt

Otto Mueller   95
Stehender Akt unter Bäumen. 1915
Leimfarbe auf Leinwand, 139 x 90 cm
Kunstmuseum, Düsseldorf

Otto Mueller   96
Sitzende Zigeunerin, 1915
Leimfarben auf Leinwand, 101 x 75 cm
Westfälisches Landesmuseum, Münster

Otto Mueller   97
Liebespaar zwischen Gartenmauern. 1916
Leimfarben auf Rupfen, 66 x 90 cm
Brücke-Museum, Berlin

Otto Mueller   98
Zwei Mädchen in Landschaft. Undatiert
Pastell, 63,7 x 49 cm
Saarland Museum, Saarbrücken

Otto Mueller   99
Zwei Mädchen. Undatiert
Aquarell und Kreide, 49 x 35,5 cm
Städtisches Museum, Mülheim

Otto Mueller   100 oben
Badende Mädchen im Gras. Um 1920
Leimfarben auf Leinwand, 86 x 111 cm
Von der Heydt-Museum, Wuppertal

Otto Mueller   100 unten
Russisches Haus. 1921
Leimfarben auf Rupfen, 78 x 95 cm
Saarland Museum, Saarbrücken

Emil Nolde   101 oben
Grosser Mohn. Um 1908
Öl auf Leinwand, 73 x 88 cm
Leopold Hösch-Museum, Düren

Emil Nolde   101 unten
Junge Ochsen. 1909
Öl auf Leinwand, 68,5 x 88,5 cm
Saarland Museum, Saarbrücken

Emil Nolde   102
Herbstmeer XI. 1910
Öl auf Leinwand, 73 x 88 cm
Kunsthaus Zürich

Emil Nolde   103
Im Nachtcafé. 1911
Öl auf Leinwand, 78,5 x 63,5 cm
Sammlung der Nolde-Stiftung, Seebüll

Emil Nolde   104
Junges Paar. 1913
Farblithographie, 62 x 51 cm

Emil Nolde   105
Junge Dänin. 1913
Farblithographie, 67 x 54 cm

Emil Nolde   106
Frauen im Garten. 1916
Öl auf Leinwand, 72 x 88 cm
Lehmbruck Museum, Duisburg

Emil Nolde   107
Der Schwärmer. 1919
Öl auf Leinwand, 101,3 x 73,6 cm
Sprengel Museum, Hannover

Emil Nolde   108
Blumengarten mit Fingerhut und Feuerlilien. 1920
Öl auf Leinwand, 65,5 x 75 cm
Städtisches Museum, Mülheim

Ernst Ludwig Kirchner   109
Mädchenakt. 1908
Holzschnitt, 43,8 x 23,8 cm

Ernst Ludwig Kirchner   110
Sitzender Akt, die Haare ordnend. 1908
Holzschnitt, 65,5 x 46 cm

Ernst Ludwig Kirchner   111
Berliner Straßenszene. Um 1911
Zeichnung, Tusche und Feder, 50,8 x 39,5 cm
Lehmbruck Museum, Duisburg

Ernst Ludwig Kirchner   112
Frau, Schuh zuknöpfend. 1912
Holzschnitt, 31 x 24,5 cm

Ernst Ludwig Kirchner   113
Straßenszene / Am Schaufenster. 1914
Holzschnitt, 32,1 x 22,8 cm

Ernst Ludwig Kirchner   114
Kopf Frl. Hardt. 1915
Holzschnitt, 49,9 x 31,3 cm

Erich Heckel   115
Kniende am Stein. 1913
Holzschnitt, 49,9 x 32,3 cm

Erich Heckel   116
Geschwister. 1913
Holzschnitt, 42,2 x 30,8 cm

Erich Heckel   117
Hockende. 1913
Holzschnitt, 41,8 x 31,2 cm